Les THIBAULT 12

チボー家の人々

エピローグ I

ロジェ・マルタン・デュ・ガール

山内義雄＝訳

白水 u ブックス

チボー家の人々12　エピローグI　目次

一

「ピエレ！　電話が聞こえないか？」

事務所勤務の当番兵は、医者も患者も、ともに治療のため、階下がからになっている朝の時間をいいことにして、ヴェランダの手すりにもたれながらジャスミンのにおいをかいでいた。彼は、あわてててタバコを捨てると、走って行って受話器をはずした。

「もしもし！」

「もしもし！　こちらはグラッス郵便局。ル・ムースキエ療養所あての電報」

「ちょっと……」と当番兵は言って、鉛筆とメモを引きよせた。「言ってくれたまえ」

局員は、はやくも電文を読みだしていた。

「パリ――一九一八年五月三日――七時十五分――チボー博士――ガス中毒患者療養所――グラッス付近、ル・ムースキエ――アルプ・マリティーム――わかりましたか？」

「マ――リ――ティーム」と、当番兵はくり返した。

「つづき。ヴェーズおば……ヴラジミールのW。A――I――Z――E――ヴェーズおば死す――

葬儀養老院にて、日曜朝十時——発信人ジゼール。以上。読み返します……」

当番兵は、ホールを出て、階段のほうへ向かって行った。ちょうどそのとき、白い上っぱりをつけた老衛生兵が、盆を手にして、配膳室の戸口にあらわれた。

「リュドヴィック、上へ行くのか？　この電報を、五十三号に届けてくれ」

五十三号室には、誰もいなかった。ベッドもできていて、部屋もちゃんとかたづいていた。リュドヴィックは、あけ放した窓のところへ歩みよって、庭をさがしてみた。そこにも、チボー軍医の姿は見えなかった。からだに障害のない幾人かの患者が、青いパジャマを身につけ、運動靴をはき、あるいは兵の、あるいは将校の略帽をかぶって、何か話しあいながら、日なたのところを行ったり来たり歩きまわっていた。ほかの人々は、サイプレスの並木のところに並んで、日かげになった布椅子の上に身を横たえながら新聞を読んでいた。

衛生兵は、さめかけたティザーヌ（薬煎）のコップののっている盆をふたたび手にした。そして五十七号室にはいって行った。二週間以来、《五十七号》は、ずっと床についたままだった。顔は汗にまみれ、顔の線は引きつれ、ひげは手入れをされないままで、まくらの上に身を起こして苦しそうに息をしていた。そして、しゃがれた息づかいが、廊下からも聞きとれた。リュドヴィックは、コップの中に水薬を二さじほどつぐと、病人の首筋をささえながら飲ませてやった。それから、洗面台のところへ行って痰壺をあけた。つづいて、ちょっとした励ましの言葉をかけてから、ドクトル・チボーをさがしに行った。彼は、念のためと思ってその階《フロワー》からおりるに先だち、ちょっと四十九号の部屋をあけてみた。大佐が、籐の長椅子にながながと横たわり、手もとに痰壺をおき、三人の士官相手にブリッジをやっていた。そこにもチボー軍医の姿は見えなかった。

「きっと吸入室だろう」と、階段の下ですれちがったドクトル・バルドーが教えてくれた。「おれがあずかろう。これから行くところだから」

椅子に腰をかけ、頭にタオルを巻きつけた何人かの患者が、吸入器のほうへかがみこんでいた。薄荷とユーカリ油のにおいのする蒸気が、暑い、しんとした小さな部屋のなかいっぱいに立ちこめていて、たがいの顔もほとんど見えないほどだった。

「チボー君、電報だぜ」

アントワーヌは、タオルの下から、露の玉にぬれた、充血した顔をだした。そして、目をふきながら、びっくりしたようすでバルドーの手から電報を受けとり、封を切った。

「何か重大なことかね？」

アントワーヌは、ちがうといったように首をふってみせた。そして、うつろな、かすれた、ひびきのない声でこう言った。

「親戚のばあさんが……死んだんだ」

そして、電報をパジャマのポケットにしまい、ふたたびタオルの下にもぐってしまった。

バルドーは、彼の肩に手をおいた。

「化学試験の結果が出たんだ。これがすんだらやってこないか」

ドクトル・バルドーは、アントワーヌとおなじ世代に属していた。ふたりは、かつてたがいに医学の勉強をはじめたころ、パリで知りあいになったのだった。やがて、バルドーは、山へ行って療養する必要から、学業を中絶しなければならなかった。彼は、なおりはしたものの、健康上の必要からと、パリの冬がこわいため、モンペリエ大学へ行って卒業免状を取ったのだった。そして、呼吸器疾患専門で打ってでた。宣戦布告のあったとき、彼は、ランド地方のサナトリウムで院長をつとめていた。ところが一九一六年、かつてモンペリエで師事していたセーグル教授が、南仏で毒ガス患者の病院創設を命ぜられたので、彼に協力者としてやって来てほしいと言ってよこした。そして、ふたりして、このグラッスに近いル・ムースキエの療養所をつくりあげたというわけだった。目下のところ、ここには六十名以上の兵と、十五名ばかりの将校とが手当をうけていた。

アントワーヌは、一九一七年十一月の末、シャンパーニュ戦線で偵察のおりに毒ガスにやられ、その後、後方の療養所を転々して手当をうけはしたものの、なんのききめも見えないので、冬のはじめにこの療養所に来たのだった。

ル・ムースキエ将校用病舎では、アントワーヌは、毒ガスにやられたたったひとりの軍医だった。ふたりがたがいに若かったころの思い出は、ふたりの性格がかなり異なってはいながらも、自然とふたりを接近させた。バルドーは、むしろ思索的といったタイプ、仕事熱心で、やま気にとぼしく、意思の弱い男だった。それでいながら、彼はアントワーヌとおなじように、医学にたいする熱意と、気むずかしいほどの職業的良心との所有者だった。ふたりはすぐ、自分たちがおなじ仲間の人間であることを見てとった。そして、ふたりのあいだに、固い友情が結ばれた。セーグル教授から万事まかされていたバルドーは、助手のドクトル・マゼとはどうも気持ちが合わなかった。マゼは、植民地軍の軍医だったが、重傷をうけてから、ル・ムースキエ療養所付きにまわされてきた男だった。それだけにバルドーは、アントワーヌには、なんのためらいもなしに進んで考えを打ちあけていた。そして、わからないことのまだたくさんのこっているこうした新しい方面での治療法について、あるいはアントワーヌの意見をたずね、あるいは自分の研究の結果を話していたのだった。それはもちろん、アントワーヌのほうで、バルドーの仕事を助けるといったような意味ではなかった。なにしろ、彼自身だいぶひどくやられていて、何よりも自分自身のことが気がかりであり、ひっきりなしのぶり返しにおそわれながら、目下の病状に細心の注意が必要とされていたからだった。だが、そうした病状にもかかわらず、彼は絶えずほかの患者たちの症状にたいしても興味を持っていた。そして、ちょっと病勢が持ち直して元気になり、気持ちが楽になり、心にゆとりができるやいなや、彼はバルドーの診察に顔をだし、実験に立ち会い、時には、毎晩セーグル教授の部屋でバルドーやマゼをあつめて催される協議会にも顔をだした。こうしたおかげで、単に患者としてだけの生活でなく、時には医者としての生活もやっていける療養所の空気は、彼にとってさまで苦しいものではなかった。ここにさえいれば、彼はこの十五年来、平時と戦時を通じ、つねに彼にとって真実の、また唯一の生存理由でもあったものから、ぜんぜん手を切らないですむのだった。

アントワーヌは、吸入がすむやいなや、急激な気温の変化をふせぐため、首のまわりにマフラーを巻きつけ、バルドーに会いに出かけていった。バルドーは、毒ガス患者にやらせる呼吸体操を自身で監督するため、毎朝三十分間を別館ですごすことにしていた。

バルドーは、患者たちの中央につっ立ち、やさしい注意をこめた眼差しで、患者たちの息切れのする、しわがれたカコフォニー（不調和音）に立ち会っていた。彼の頭は、いちばん高い患者たちより、半分ばかりも上に出ていた。ひたいのあたりは年より早くはげあがっていて、いやが上にも彼の背たけを高く見せた。彼の恰幅は、背たけとうまく調和がとれていた。かつて結核患者だった彼は、とても大きな男だった。肩から腰にかけての胴体は、うしろから見ると、はち切れそうなブルーズの下に、ほとんど四角とさえ思われる堂々たる偉軀をしのばせていた。

「うれしかったぜ」と、彼はすぐに、更衣室になっている小さな部屋にアントワーヌをつれていきながら言った。ふたりは、そこへ行って自分たちだけになれた。「じつは、心配していたんだ……ところが、その必要がなくなった。蛋白は陰性だ。これはたしかに吉兆だぜ」

彼は、そでのおり返しから、一枚の紙片をとり出していた。アントワーヌは、それを受け取って、ざっとひとわたり目をとおした。

「書き取ってから、今夜返そう」（毒ガスにやられた当初から、アントワーヌは、大きい特別なノートをこしらえて、その中に、症状に関するきわめて周到な日記をつけていた。）

「吸入が長すぎるぜ」と、バルドーは小言をいった。「疲れないかね？」

「だいじょうぶだ」と、アントワーヌが答えた。「吸入はとても好きだ」声は弱く、息切れがしていた。それでいて、はっきり聞きとれる声だった。「起きぬけには、分泌物が咽喉《のど》にうんとたまっていて、てんで声が出ないんだ。ところが、咽喉が蒸気できれいになると、たちまち目に見えて楽になるんだ」

バルドーは、自説をとってくだらなかった。

「ところが、絶対それをやりすぎてはいけない。なるほど声の出ないのはじれったかろう。だが、それはたいしたことではないんだ。ところが、あまり長く吸入しすぎると、急にたんが出なくなるんだ」尾をひいたような彼の発音は、そのブールゴーニュ生まれであることを語っていた。それは、眼差しにもうかがわれるやさしい、まじめな表情をさらに強調させるものだった。

彼は椅子に腰をおろしていた。そして、アントワーヌにも腰をかけさせた。彼はいつも患者たちに、べつに自分はいそいでいない、ゆっくり話をきいてやれる、自分にとって、みんなの愚痴を聞いてやるのがいちばん楽しい、と思わせるようにつとめていた。

「しばらく祛痰剤《きよたんざい》をつかうといいな」と、バルドーは、きのう一日と、それに夜になってからの模様をたずねたあとで言った。「テルピンでもドロセリン（薬草。いしもち草）でもいいだろう。るりぢさ煎の中に入れるんだ……そうだ、子供だましの薬なんだ……眠りつくまえにぐっしょり汗をかく。ただし、かぜを引かないように注意しなければ。あれがいちばんいいんだぜ！」母音や重母音に力を入れ、語尾のように長くのばすところ（《祛痰剤《ポーション・エクスペクトーラーント》……るりぢさ《ブーラーシュ》……ぐっしょりひと汗かく《シューウール・アボーンダーント》》）、まるで、チェロの低音部の弦を強く弓でこするといったようだった。

彼は、好んでいろいろ細かい注意をした。そして、そうした療法の効果については宗教的な確信を持っていて、どんな失敗にあっても力を落とすことがなかった。彼は、何よりも相手を説得することが好きだった。とりわけアントワーヌにたいして、すなわち、べつにけちくさい嫉妬心からというのでなく、自分よりすぐれていることを感じているアントワーヌにたいしてそうなのだった。

「それに」と、彼は、アントワーヌから目を放さずに言った。「夜間のたんを緩和しようと思ったら、サルバルサン療法をしばらくやってみてはどうだ?……ねえ?」と、彼は、おりからはいって来たドクトル・マゼのほうを向いて言った。

マゼは、なんとも返事をしなかった。彼は、更衣室の奥の洋服だんすをあけ、カーキ色の軍服を白い仕事着に着かえはじめた。洗いざらされ、色もあせ、よれよれになった軍服だったが、そこには、勲章だけがごてごてつけられていた。くさい汗のにおいが、部屋の中にただよった。

「無声《アフォニー》状態がひどくなるようだったら、またストリキニーネをやってみてもいいんだ」と、バルドーは言葉をつづけた。「この冬、シャピュイにやってみて結果がよかった」

マゼは、ばかにするといったようすでふり返った。

「まるで、もっとすばらしい例がなかったとでもいうようだな!」

角ばった顔、そして狭いひたいの上には、深い刀傷がきざまれていた。ひたいぎわの低いところまではえている厚いごま塩の髪は、短く刈りあげられていた。その白目は、ちょっとしたことにも充血した。長い植民地勤務で日にやけた顔のうえには、黒い口ひげがくっきり浮かびあがっていた。

アントワーヌは、いぶかしそうなようすでバルドーをながめていた。

「さいわいなことに、チボー君の場合は、シャピュイの場合とぜんぜんなんの関係もないのさ」と、あわてたようにバルドーが言った。内心の不満を、隠そうとしても隠しきれないようすだった。「シャピュイは、どうもぐあいがよろしくない」バルドーは、こんどはアントワーヌのほうを向いて説明した。「ゆうべもぐあいがわるかった。ぼくは二度まで起こされた。心臓の中毒がとても急速に進んでいる。期外収縮性不整脈だ……けさも、所長が見え次第、五十七号につれて行こうと思ってるんだ」

マゼは、仕事着のボタンをはめながら歩みよった。そして三人は、毒ガス患者の心臓血管障害についてしばらく話し合った。バルドーによれば、それは《患者の年齢によって、きわめてまちまち》だということだった。(シャピュイは、砲兵大佐で、八カ月まえから治療をうけていた。そして、すでに五十の坂を越えていた。)

「……それに、既往症にもよることだし」と、アントワーヌはそのあとをつづけた。

シャピュイとは、おなじ階《フロワー》で隣り同士だった。アントワーヌは、これまでにも、幾度か診察してやったことがあった。そして、大佐には、毒ガスにやられるまえに、すでに潜在僧帽弁狭窄が潜在していたにちがいないと考えていた。セーグルも、バルドーも、マゼも、まだこのことには気がついていないようだった。彼は、それを口に出して言ってみようとした。(彼は、他人のあらをさがし出し、それを相手に知らせることに、以前にもましたいじわるい満足感をもっていた。たとい相手が友人であろうと、それは自分が病気によって感じさせられている劣等感の、ひとつの小さな復讐にほかならなかった。)ところが、彼にはしゃべることがひと苦労だった。そこで、彼はやめてしまった。

「新聞を読んだかね?」と、マゼがたずねた。

アントワーヌは、読んでいないことをようすで知らせた。

「ドイツ軍のフランドル地方への進撃は、事実くいとめられてしまったらしい」と、バルドーが言った。

「そう。それはたしかにそうらしい」と、マゼが言った。「イープル川はみごとにふせげた。イギリス軍は、イゼール川の線を確保できたと公表している」

「ずいぶんたいした損害だろうな」と、アントワーヌが言った。

マゼは、ちょっと肩をゆすってみせた。それは、《ずいぶんたいした》を意味すると同時に、《なんのそれしき!》といった意味にもとれた。彼はふたたびたんすのところへ行き、軍服のポケットをさがしてから、アントワーヌのそばにもどって来た。

「ほら、これはゴワランからもらったスイスの新聞なんだが……中欧側の公報によると、ほら、四月ひと月で、イゼール川方面だけで、イギリス軍の損害は二十万以上に達するだろう!」

「その数字が、連合国側の世論の耳に聞こえでもしたら……」と、バルドーが言った。

アントワーヌは、うなずいてみせた。そして、マゼは、からからと嘲笑するような声を立てた。彼はちょうど戸口のそばまで行っていた。そして、肩越しにふり返りながらこう言った。

「なあに、正確な情報は、一般人の耳へまではとどかないのさ。なにしろ戦争なんだから！」

彼はいつも、ほかの人々を小ばかにしているようなようすだった。

「けさ、ぼくが何を考えていたかわかるかね？」マゼが出て行くやいなや、バルドーが言った。「つまり、こんにちでは、いかなる国の政府も一般大衆の感情なんか代表してはいないんだ。指導者の声は、指導されるものの声をすっかりつつみかくしてしまっている！……たとえば、フランスについて見るがいい！　フランス兵二十人中のひとりでも、戦争を一カ月のばしても、アルザス・ロレーヌをぜひ取りもどしたいと思っているようなものがあるだろうか？」

「五十人中ひとりでも！」

「それでいながら全世界は、クレマンソー、ポワンカレが、フランスの世論をりっぱに代表しているものと思いこんでいる……戦争は、いままでかつて例を見なかったような、公式な虚偽の空気をつくりあげてしまっている！　いたるところの国々で！　ぼくには、各国民が、今後はたして、そのいつわらぬ声をひびかせ得るような日がくるだろうか、ヨーロッパの新聞が、はたしてふたたび……」

セーグル教授がはいって来たのを見た彼は、そのまま口をつぐんでしまった。

教授は、ふたりのあいさつにたいして軍隊式の敬礼で答えた。教授は、バルドーの手を握った。だが、アントワーヌに向かっては手をださなかった。そのとがったあご、かぎなりの鼻、金縁眼鏡、ふわふわした白い髪をした小柄な体軀は、漫画のティエール氏（十九世紀フランスの政治家、歴史家）そっくりだった。とても身なりに気をくばっていて、いつもそり立ての顔をしていた。口のきき方は簡潔だった。そして、その礼儀正しさは、同僚たちにたいしてさえ、何かよそよそしいものに見えていた。教授は、みんなから離れて、自分の事務室で暮らしていた。そして、食事もそこへはこばせていた。このうえない勉強家の彼は、来る日も来る日も、バルドーとマゼからの臨床報告にもとづき、毒ガス患者治療法に関して、医学雑誌にのせる原稿を書くことですごしていた。彼自身、患者に接することはまれだった。それは、入院のとき、それに容態の急変したときだけにかぎられていた。

　バルドーは、五十七号の容態について説明しようとした。だが、それを口にだすかださないうちに、教授は相手の言葉をさえぎって、戸口のほうへ歩きだしていた。

「行ってみよう」

　アントワーヌは、ふたりの出て行くのをじっとながめていた。《バルドーって、いい男だな》と、彼は思った。《いい男と友だちになれた……》

　彼は、いつもこの時刻に、自分の部屋にもどり、そこで手当のつづきをおわり、そして正午までからだをやすめることにしていた。朝のうちの手当ですっかり疲れた彼は、安楽椅子にかけたままうとうとしながら、昼食の銅鑼《どら》をきいてはっと目をさますようなことがしばしばだった。

彼は、わずかの距離をおいて、ふたりのうしろからついていった。《だが》と、彼はとつぜん考えた。《もしここで死ななければならないのだったら、バルドーとの友情にしても、なんの役にもたたないわけだな……》

彼は、息が苦しくならないようにと、ゆっくり歩いて行った。三階まであがって行くには、ちょっと注意を怠ったが最後、ときおり脇腹に疼痛を感じた。それは、さまではげしいものではなかったが、それが消え去るまでには何時間かを要するのだった。

ジョゼフは、またもやよろい戸をおろし忘れていた。薬を並べた台のまわりには、蠅が何匹も飛びまわっていた。蠅たたきは、くぎにかかっていた。だが、すっかり疲れたアントワーヌには、とても蠅を退治するだけの気力がなかった。彼は、窓外にひろがるすばらしい風景をながめもせずに、よろい戸をおろし、安楽椅子に腰をかけて、ちょっとのあいだ目を閉じていた。やがて、彼はポケットから電報を取りだし、それを機械的に読み返してみた。

あの年寄りも、いよいよその生涯を終わったのだ……彼女にとって、いまは死んでいく以外なんのなすべきことがあっただろう？　だが、それほど高齢というわけでもなかった……《ねえ、アントワーヌさん、わかるでしょう、わたし、六十何歳にもなって、あなたのお世話になりつづけたくないと思いましてね》彼女は、余生を養老院ですごすことにしようと思いついたとき、首をふりふりこうくり返したものだった。それは、チボー氏が死んでから、わずか何日かあとのことだった。一九一三年の十二月、それとも一九一四年一月のことでもあったろうか……いまは一九一八年五月。あれからすでに四年以上の時がたっている！　死んだときは、せめて七十にでもなっていただろうか？　アントワーヌは、釣りランプのかげ、ごま塩の髪のあいだの黄いろい小さな彼女のひたい、テーブル・クロースの上にふるえる象牙のような小さな手、何かにおびえた騾馬《らば》のような小さな目などを思いだしていた……彼女は、どんなことにもおびえた。戸棚の中のねずみの音、遠雷のとどろき、マルセーユでのペストさわぎ、シチリアであった地震のうわさ。ぱたんというドアの音、何かけたたましいベルの音にも、彼女は《あれ！》と言って飛びあがった。そして、不安そうな面持ちで、そのかぼそい両腕を、彼女が、《外套頭巾《カピュッシュ》》と呼んでいた黒シルクの短い外套の下に組みあわせた。それに、彼女の笑い声といったら！　というのは、彼女はまるで小娘のような、明るい、くつくつ笑いで、じつによく、しかもなんでもないことに笑いこけた……若かったころは、さだめし美しかったにちがいない。どこか寄宿舎のグラウンドで、黒ビロードのリボンの首かざりをつけ、組み髪をヘア・ネットの中にたたみこんで、輪投げ遊びをしているすがたさえも、わけなく想像できた！……若いころは、いったいどんなだったろう？　彼女は、ついぞそのことを話さなかった。また、それを彼女にたずねてみようとする者もなかった。彼女の名さえ知っているものがいただろうか？　誰ひとり、彼女をその名で呼んでいたものはなかった。名字でさえも呼ばなかった。そして、物をそのはたらきのうえから、《家番》とか《エレヴェーター》とか呼ぶように、ただ《おばさん》とだけ呼んでいた……引きつづく二十年のあいだ、彼女は、チボー氏の専制のもとに、きわめて敬虔な恐怖心をもって暮らしてきた。二十年というもの、少しも人目を引くことなく、黙々として、疲れることも忘れて、家の仕事の中心になってきた。それでいて、家の中の誰ひとり、彼女のきちょうめんさや心づかいに感謝しようなどとは思わなかった。それは、個性の没却、献身、自己犠牲、捨身、謙虚、分を知り、控えめな愛情に終始した一生だった。それでいて、それはほとんどなんらむくいられるところのないものだった。

《ジゼールが悲しがってるこったろうな》と、アントワーヌは思った。

必ずしも、はっきりそうと信じていたわけではなかった。だが、彼は、そう思っていたかった。ジゼールの嘆きの機会に、長い不義理をつぐないたいといった気持ちだった。

《手紙をだしてやらなければ》と、彼は、じりじりした気持ちで考えた。（動員このかた、彼は、のっぴきならぬ必要の場合でなければ手紙を書かない習慣になっていた。そして、毒ガスにやられて以来、ほとんど筆というものをとらなかった。ただ思いだしたように、ジゼール、フィリップ博士、ステュドレル、ジュスランなどにあてて、葉書にほんの短い言葉を書きつけただけだった……）《長い弔電を打ってやろう》と、彼は思った。《悔やみ状を書くまでに、何日かのばせることになるだろうから……なぜ葬式の時刻を知らせてよこしたんだろう？　まさかおれに旅行ができようなどと思ったわけでもなかったろうに！……》

戦争のはじめ以来、彼は一度もパリに足をふみ入れたことがなかった。行ったところでなんの用事があったろう？　会いたいと思う連中は、すべて自分とおなじように動員されてしまっていた。自分の家、誰もいない昔の住まい、いまはほかのことに使われている実験室へ行ってみたところで、なんの役に立つだろう？　彼は、休暇の許可がまわってくるごとに、それをほかの連中にゆずってやっていた。すくなくも前線にいるときは、活動的な規則正しい生活に服従していたので、何も考えずにいることができた。ただ一度だけ、アブヴィルで、ソンムの攻撃開始前、休暇をもらうことにした。そして、冬の終わりのディエップに行って、そこでひとりですごすことにした。だが、向こうへついて二日すると、彼はふたたび汽車に乗って、原隊にもどって来た。潮のにおいが臭く、夜昼なしにしめった風が吹きまくり、イギリスの負傷兵のにおいの立ちこめているその町で、いつまでものらくらしていることがなんともたまらなかったからだった……動員以来、彼はジゼールに（またフィリップ博士にもジェンニーにも、そのほかの誰にも）会っていなかった。最初の負傷の後、ジゼールが予後の彼をサン・ダジェに見舞いにきたいといってよこしたとき、彼はそれさえことわった。ふたりが二カ月ないし三カ月おきにとりかわしていた愛情のこもった簡潔な手紙。もうそれだけで、彼にとっては銃後の世界、過去の世界と最小限度の接触を保つのにじゅうぶんだった。

彼は、ジェンニーの妊娠を手紙によって知らされていたのだった。おなじく手紙によって、ジャックの死んだことのまちがいないことも知っていた。一九一五年の冬、彼は、すでにそれまで何通かのかなり打ちとけた手紙の往復をしていたジェンニーから、ジュネーヴへ行こうと思っているという手紙を受けとっていた。ジェンニーは、この旅行に、二つの目的を考えていた。彼女は、そこへ行き、家族たちにわからないところでお産をしたいと思っていたのだった。いっぽう、スイスにいるあいだに、ジャックの死について――それまでなぞにつつまれていたジャックの死について、いろいろ調査をしてみようと思っていたのだった。ジェンニーと連絡のあった革命家仲間では、ジャックは、八月の初旬、なにか《危険な任務》についていてゆくえ不明になったといううわさがもっぱらだった。アントワーヌは、ジェンニーをリュメルに紹介してやろうと思いついた。リュメルは、パリの外務省勤務のまま、職場動員をされていた。そして、ジェンニーのため、わけなく必要な通行許可証をあたえてくれた。ジュネーヴへ行ったジェンニーは、そこでヴァンネードに会った。そして、ヴァンネードは、彼女の調査をてつだってくれた。彼は、ジェンニーといっしょにバーゼルへ行き、彼女をプラトネルに紹介した。そして彼女は、この書店主の口から、ジャックの最後の幾日かについてはっきりしたことを知らされ、アジビラを書いたこと、メネストレルの飛行機を待ちあわせたこと、八月十日の朝、アルザス戦線に向かって飛び立ったことを知ることができた。それからさきは、プラトネルも知っていなかった。だが、ジェンニーから以上のことを知らされたアントワーヌは、リュメルにたのんで調べてもらった。そして、リュメルは、ドイツ側の捕虜名簿をいくたびかむなしくさがし抜いた末、パリ陸軍省の書類の中に、まさに八月十日付歩兵師団司令部発の報告を発見したのだった。アルザス方面部隊の退却に関する報告の中には、火だるまになった一台の飛行機が、フランス軍の戦列に落ちてきたことが記されていた。死体はすっかり焦げてしまって、何者であるかわからなかった。だが、機の残骸から察して、スイス製の武装機であるにちがいないということだった。そして、報告の中には、焼けこげた紙包みの中に、激越な反戦ビラの断片が読みわけられたと書きそえてあった。もはや疑う余地はまったくなかった。死体というのは、ジャックとメネストレルにちがいなかった……なんたる犬死に！　アントワーヌは、こうしたばかげた死に方がなんともあきらめきれなかった。それから四年たった今日になっても、悲しいというより、むしろ腹だたしい気持ちが先だつのだった。

アントワーヌは立ちあがった。そして、蝿たたきをはずすと、手あらく十匹あまりの蝿をたたき殺した。彼は、残りの蝿を、タオルではたいて追いだそうとした。ところが、急にせきこんできて、安楽椅子の背に両手をかけ、からだを二つ折りにしながら、身動きできなくなってしまった。そして、ようやく身を起こすことができたとき、彼は湿布にテルペンチンをしめして、それをしばらく胸に当てていた。やがて、ちょっと楽になれた彼は、ベッドの上からまくらを二つ取ってきて、ふたたび椅子に腰をおろした。そして鬱血を避けるため、上体をまっすぐに立て、親指と人さし指で喉頭《こうとう》をつまみ、すこしずつ息に力を入れて、

「A……E……I……O……U……」

と、はっきりした音をだそうとしながら、注意ぶかく呼吸練習にとりかかった。

彼は、あちらこちらと部屋の中をながめまわした。せまい、たまらなく平凡な部屋だった。この朝、海からの微風は窓のすだれをゆすっていた。そして、コーニス（押長）の下を走っているチョコレート色した朝顔模様のフリーズまで、むき出しのまま、ただ濃い桃色のラックで塗られている壁の上には日かげがおどっていた。鏡の上のあたりには、雑誌から切り抜いたと思われる水兵襟の六人のアメリカン・ガールの一列が、片足を弓のようにそらしながら、六本の足を蹴あげていた。それは、アントワーヌよりまえにこの部屋にいたものが、死ぬまでのあいだこの五十三号室を飾っていた美術装飾のなごりだった。アントワーヌは、ほかのはうまく処分できたが、この猛烈な六人のガールだけは、それ

があまり高いところにあったため、そこまで手をのばすのはちょっと無謀のように思った。彼は、この階《フロワー》づきのボーイであるジョゼフにそれをやってもらおうと思っていた。だが、ジョゼフは小柄だし、踏み台は一階まで行かなければなかった。そこでアントワーヌは、むしろそれを忘れてしまおうと思った。ピッチパイン（松やにのたくさん出る松材）のせまいテーブルの上には――そこには、陶器の痰壺がどっしりおかれ、そのほか医薬用のびんや箱のあいだに、古新聞雑誌、前線の地図、蓄音器のレコードなどが山と積まれていた――彼が毎晩、その日の医学的観察を書きこむため、やっとメモをひろげるだけの余地しか残されていなかった。洗面台のガラス棚の上にも別の薬びんがいっぱいならんでいた。テーブルと白木のたんす（これには、下着類や身のまわり品がはいっていた）とのあいだには、からの軍用行李が立ててあった。そして、そこにはまだ、はげかかっているが、規則どおりに《第二大隊付軍医。ドクトル・チボー》と書かれた文字が読みわけられていた。軍用行李の上には、動かなくなった蓄音器が一台載せられていた。

　こうした桃色の密室に閉じこめられてからかれこれ五カ月、アントワーヌは、絶えず病勢の一進一退に注意をはらい、ひょっとして回復のはっきりした徴候がつかめはしまいかとむなしくうかがいつづけていた。かれこれ五カ月というもの……彼は、この部屋の中で苦しみ、一刻一刻をかぞえ、食事をし、飲物を飲み、咳をし、いつもしまいまで読みきったためしのない本を手にし、これまでのことを思い、これから先のことを考え、人々の訪問を受け、じょうだん口をたたき、息ぎれするほど戦争や平和のことを論じあったものだった……彼にはいま、熱に浮かされ、呼吸困難と不眠に悩まされている自分を目撃しているこのベッドが、この安楽椅子が、この痰壺が、なんともたまらないものに思われはじめていた。さいわい、目下の彼の病状は、かなり頻繁に階下におりて行くこと、この部屋から逃げだすことをゆるしてくれていた。そこで彼は、それを読まないにしても、いくらかさみしさをまぎらしてくれるような本を手にし、サイプレスの並木道のあたり、あるいはオリーヴの木かげ、時によると、水音が涼しい思いをさせてくれる水揚げ水車のあたりまで逃げだして行ったのだった。あるいは、しばらく立っていられるような時には、バルドーやマゼといっしょに、実験室にとじこもった。そこへ行くと、すぐにくつろいだ気持ちになれた。バルドーは、実験着を貸してくれた。そしていっしょに実験をさせてくれた。そこを出るときの彼は疲れきっていた。だが、そうした日こそは、彼にとってこのうえもなくたのしい日なのだった。

むなしく回復を待つまでの休養の期間、その何週間何カ月の期間、これをせめて将来のため、何か有効なことに使えるのだったら！　彼は、幾たびとなく、何か自分としての仕事をやってみようと思いたった。だが、いつもいつも、何か結果が得られるまえに、病状のぶり返しは、いやおうなしにそれを中絶させた。とりわけ心について離れなかったのは、戦前、幼児のころの呼吸障害が、子供の知能の発育、その注意力といかなる関係に立つかについて集めた観察を、一つの長い研究にまとめあげることだった。そうした文献は、いまや、相当大きな量に達していて、優に一冊の小さな著書ではないにしても、どっしりした雑誌論文くらいにするにはじゅうぶんになっていた。しかも、彼は、順位を争う必要上、いそいでそれを仕あげておきたかった。というのは、その題はいまや《問題になっている》ものであり、へたをすれば、ほかの小児科専門家に先を越されるおそれがあったからだった。だが、たとい健康がゆるしたにせよ、それに関する文献、それのテストのすべてをパリにおいてきている以上、やってみようにもやりようがなかった。しかも、それらを送らせる方法もなかった。マニュエル・ロワは、戦争がはじまってわずかに二カ月の後、アラス近くでの突撃のおり、その小隊全部とともに生死不明になっていた。ジュスランは、二カ月まえから、シレジアの捕虜収容所に入れられていた。いっぽうステュドレルは、一九一六年ヴェルダンで負傷し、傷はなおったが、耳のつんぼはそのままなおらず、レントゲン専門のほうへまわされていた。そして、つい最近、東方派遣軍の衛生隊にまわされていた。

昼食を知らせる最初の銅鑼《どら》のひびきに、アントワーヌは立ちあがった。彼は、咽喉《のど》の奥を照らしてみるために、洗面台についている電灯をひねった。彼は、食事の前、嚥下《えんか》障害を楽にするため、いつも薬の注入をすることを忘れなかった。障害は、その日によってきわめてはげしく、そのときは、バルドーのところへ行って電気焼灼《しょうしゃく》をしてもらわなければならなかった。

第二の銅鑼の鳴るまでのあいだ、彼は椅子を窓のそばまでおして行き、すだれをあげた。目の前には、上のほうに岩ぼこの山々のそびえているひろやかな、だんだん畑の耕作地の斜面がひろがっていた。右手には、いつも見なれた丘陵の線が波うっていて、それが、日の光にけむりながら、濃い藍色をした水平線までつづいていた。目の下には、庭がひろがり、そこからは花のにおいや人声が立ちのぼっていた。アントワーヌは、立ちならぶサイプレスのかげのひろい並木道の中を、いつものとおり行ったり来たりしている患者たちをながめようとして下を向いた。彼は、そのすべての患者たちを知っていた。ゴワランと、その相棒のヴォワズネ（ふたりは、声帯をやられていないただふたりの患者で、朝から晩までおしゃべりしていた）。本を小わきにかかえたダロス。《カンガルー》と呼ばれているエクマン。それにレーモン少佐。いつもの朝とおなじように、若い将校たちにとりまかれながら、地図をひろげて、公報の説明をしていた。彼らが身を動かし、何か身ぶりをしているのを見ただけで、アントワーヌには、その声まで聞こえるように思われた。そして、自分もその中にいるかのように、ほとんどおなじような疲労を感じていた。

銅鑼《どら》がふたたび鳴りわたった。そして、庭全体は、おびえあがった蟻塚とでもいったように色めきたった。

アントワーヌは、ほっと息をつきながら身を起こした。《あの陰気な銅鑼ほどいやなものはないな》と、彼は思った。《ほかのどこでもやってるように、なぜ鐘にしないんだろう？》

彼は、少しも食欲を感じなかった。彼には、も一度三階からおりて行き、またもや食物のにおいをかぎ、やかましい配膳の音や、いつに変わらぬ食堂の騒がしさに耳をさらし、人のよさそうな微笑を浮かべ、ドイツの思惑についてのいつも変わらぬ長広舌、戦争終結の予測、公報の内幕話を聞かされることなど、とてもがまんできそうもなかった。しかもそれらは、いつもおきまりのいやがらせ、前線での思い出話、猥談といったようなもので色づけられ、さらに粘液の模様、前の晩に喀痰の量の多かったというようなあけすけ話になってくると、ひとしおたまらなくなってくるのだった……

パジャマの上着をぬいで、金筋の三本はいった白地の古い軍服に着かえた彼は、ポケットの中からジゼールの電報をとり出した。そしてとつぜんからだをこわばらせた。《行ってみようかな?》

彼は思わず微笑せずにはいられなかった。彼には、とてもそんなことのできないのがわかっていた。そして、心にそうした確信があったればこそ、彼の想像力は、そうした夢のような計画を中心として、しばらく自由にかけめぐることができたのだった。だが、そうした計画にしても、じつは必ずしも実現不可能なこととは言いきれなかった。じゅうぶん注意を怠らず、手当をつづけ、吸入器と薬品一式をたずさえて行きさえしたら、おそらく、なんら容態の悪化を懸念する必要もないだろう。《葬儀は日曜日午前十時》……あしたの土曜日、午後の特急に乗りさえしたら、日曜の朝にはパリに着ける……院長は、さだめし許可をやらぬとは言うまい。あんな病状だったドッスにさえ、許可をあたえたことだから……ある意味で、たしかに心をそそうひとつの機会……思いがけないことだっただけに、とりわけ心をそそう絶好の機会……

アントワーヌはとつぜん、戦争まえのころとおなじように、――生活もたのしく、健康でもあったあのころのように、ただひとり、だまって、うまい料理の食える食堂車のテーブルについている自分の姿を想像した……

パリへ行ったら、自分の病状についてフィリップ老博士の意見をきくこともできるだろうし……それに第一、文献やテストも見つかるわけだ。ノートや書物を、カバンにいっぱい持って帰ろう。仕事に必要なすべてのものを。いつ終わるとも見えない回復期を、なんとか利用するに必要なものを……

パリ！　三、四日逃げだすのだ！　三、四日、食堂仲間とも会わずにすむのだ！

そうだ、何をためらう必要があろう！

二

しんとした中に、掛け金の音が鳴った。そして、受付の小窓が細めに開いた。アントワーヌの目には、青ラシャのそでで、それに指にエンゲージ・リングの光っているしわだらけの手が見えた。

「まっすぐでございます」と、見えない口がつぶやくように言った。「廊下をずっといらしった、中庭のところでございます」

玄関は、タイル張りのがらんとした、ぴかぴかした廊下につづいた。そして廊下は、養老院のしんとした奥のほうへ向かってつづいていた。左手には、まるで並び大名といったように、階段の下の段のところにうずくまり、黒い編み物のショールに肩をくるんだふたりの老婆が、たがいにからだをよせあいながら、声をひそめてしきりに何かしゃべっていた。

四分の三ほど日のあたっている中庭には、人かげといっても見えなかった。その奥のところに礼拝堂があった。入口のとびらの一つが開かれて、それが建物の前面に長方形の暗い穴をあけていた。中からは、オルガンの音が流れていた。すでに式ははじまっていたのだ。アントワーヌは、その建物のほうへ近づいて行った。暗い礼拝堂の中をのぞきこんだ彼の目には、たくさんの小さな火をともしたしょくだいが見えた。会堂の石畳は、中庭の地づらより低くなっていて、二段だけおりなければならなかった。アントワーヌは、立ちふさがっている葬儀社の人々のあいだをすりぬけて行った。小さな内陣は、人々でいっぱいだった。そこには、御堂《みどう》の地下室らしいひんやりした空気がながれていた。アントワーヌは、やっとのことで、片手を聖水盤にかけながら足のつま先で立ってみた。祭壇の前には、上にかけた黒い布からはみだした一つの棺が、四本のろうそくのあいだにすえられていた。そうしたそまつな棺のうしろには、眼鏡をかけた白髪の小男が、腕を組みながら控えていた。そしてそばには、看護婦がひとりひざまずいていて、青いヴェールに顔をかくされていた。と、その看護婦が顔をふり向けた。そしてアントワーヌは、その横顔から、それがジゼールであることに気がついた。《親類もなく、友だちもなく……そして、あのシャールのばかがいるだけなのだ……》と、彼は思った。《来てよかった……ジェンニーの姿が見えないな……フォンタナン夫人も、ダニエルも……それもかえってつごうがよかった。ジゼールに、自分のパリに来たことを彼らの耳に入れないようにたのんでおこう。そうすれば、メーゾン・ラフィットへも行かずにすむから》彼はあらためて、ショールにくるまった老婆たちや、大きな角帽子《コルネット》をかぶった童貞さんたちが幾列も腰かけているベンチの上に、誰も知った顔のいないことをたしかめた。《とてもしまいまでは立っていられそうもない……それに、ここは寒いとさえ言えそうだ……》彼が出て行こうとしたおりもおり、ベンチがいっせいに鳴りわたった。会衆が、ひざまずこうとして立ったのだった。式を行なっていた司祭は、両手を高くあげ、会衆のほうをふりかえった。アントワーヌには、それが、大柄な、ひたいのはげあがった、ヴェカール神父だということが見てとれた。

アントワーヌは、段をあがって、ふたたび中庭へもどると、日あたりのいいベンチを見つけ、そこへ行って腰をおろした。肩胛骨のあいだに、とても痛んでいるところがあった。それにしても、彼は、長い汽車旅行でもさほど疲れてはいなかった。夜のあいだの何時間かを、彼はからだを横にしていられたのだった。だが、リヨン駅からポワン・デュ・ジュールまで、河岸《かし》のでこぼこ道をぼろタクシーにゆられたおかげで、へとへとになっていたのだった。《まるで子供の棺みたいだな》と、彼は思った。《なんと小さな彼女なんだ！》彼は、ユニヴェルシテ町の住まいの中を、ちょこちょこ歩きまわっていたころの彼女のこと、あるいはまた彼女の部屋の中で、はめこみ細工の机の前、光線を背にして椅子のはしにちょんとかけていた彼女のことを思いだした。その事務机を、彼女は《家重代《いえじゅうだい》の家具》と呼んでいた。チボー家の切りまわしをしにやって来たとき、彼女は、ただこの記念品だけを持ってきた。彼女は、その《秘密の》引き出しの中に毎月の給料をしまっていた。その中に、すべてのたいせつなものをしまっていた。何から何までを入れていた。そこには、ボンボンや領収書、手紙の紙やヴァニラのびん、チボー氏のすてた鉛筆のはし、広告とか料理の本、糸、針、ボタン、ねこいらず、それにゴム引きの布、菖蒲《あやめ》の袋(におい袋)やアルニカチンキ、家の中での古鍵いっさい、そのほか祈禱書とか、写真とか、それに手の皮膚をなめらかにするきゅうりのポマードなどがしまわれていた。そして、そのポマードの気のぬけたにおいは、ヴァニラのにおい、菖蒲《あやめ》のにおいとまじり合って、机のふたをあけるやいなや、玄関までもにおうのだった。子供のころのアントワーヌとジャックにとって、この机は、長いあいだ、魔法の宝物のように思われていた。後になると、ジャックとジゼールは、これに《村の雑貨屋》という名まえをつけた。そこへ行けばなんでも見つかる田舎の勧工場の観があったからだった……

人々の足音をきいて、アントワーヌは顔をあげた。黒ずくめの服装をした葬儀社の連中が、もう一つのとびらをあけた。そして、中庭まで花輪をはこんで来ては、それを地面においていた。アントワーヌは立ちあがった。

式は終わりかけていた。ズックの前掛けをしたふたりの童貞さんが、野菜を積んだ小さな車を引きながら、目を伏せてそこを通って行ったが、いそぎ足で中庭をかこむ建物の一つの中に姿を消した。二階の窓では窓かけがあげられ、カミゾル(婦人用のジャケツ)を着たからだの不自由な老婆たちが窓のうしろに並んでいた。からだの達者な入院者たちは、礼拝堂から出てくるところだった。そして、よちよちしながら、入口の両側に集まっていた。オルガンの音がやんだ。銀の十字架、司祭の白衣が、暗い中から浮かびあがった。ふたりの男にかつがれて、棺が出てきた。そのうしろには、合唱隊の子供たちが、次にはひとりの老司祭が、さらにヴェカール司祭がつづいていた。

やがてジゼールの姿が、石段をあがりながら、光の中に浮かびあがった。彼女のうしろには、シャール氏がつづいた。棺をかついでいるものは、葬儀社の男たちが棺の上にふたたび花輪をのせるあいだ立ちどまっていた。ジゼールは、目にいっぱい涙をたたえながら棺のほうをながめていた。その思い深げな顔のうえに成熟した表情をみつけたアントワーヌは、はっとした。彼はいつも彼女のことを考えながら、十五のころのおてんば娘を思い描いていたのだった。《おれのいるのに気がつかなかったな……おれが来ていようなんて考えてさえもいないんだな》アントワーヌは、向こうでは気づかず、こちらからだけゆっくり観察していることを何かしら気まずく思った。彼は、彼女のこれほど色の黒いということも忘れていた。《たしかにひたいの上の白い飾りが、色を黒く見えさせているんだろう……》

黒手袋をはめたシャール氏は、手に古風な帽子を持っていた。彼は首を突きだして、右に左にその鳥のような小さな頭をゆすっていた。彼はとつぜん、アントワーヌの姿を見つけた。そして、さも声を立てまいとするかのように、急に口に手をあてた。ジゼールは顔をふり向けた。そして、その眼差しが、アントワーヌのうえにとまった。彼女は、最初の一目ではわからなかったというように、しばらくじっとみつめていた。それから、彼のところへ走りよるなり、さめざめと泣きだした。彼は、無器用な手つきでジゼールをだいてやった。彼の目には、棺をかつぐ男たちの歩きだすのが見えた。そして、そっと彼女から身をはなした。

「そばにいて」と、彼女はあえぐように言った。「はなれないで」

彼女は、自分の場所へもどって行った。そして、彼もそのあとについて行った。シャール氏は、ふたりの来るのを、おろおろした顔つきでながめていた。

「あなたでしたか?」アントワーヌから手を出されて、シャール氏は、夢でもみているようにつぶやいた。

「墓地は遠いのかね?」と、アントワーヌはジゼールにたずねた。

「ルヴァロワなんですの……車がありますわ」と、彼女は低い声で答えた。

葬列は、ゆっくり中庭を通って行った。

二頭の馬をつけた棺馬車が、往来のところで待っていた。町内の人たちや子供たちが、人道に垣をつくっていた。古ぼけた馬車の上には、まるで象の背の上のかごといったように、三人分の席ができていた。そこへは、踏み段を幾段か踏んであがるようになっていた。その三人分の席には、ジゼール、シャール氏、それに葬儀係がすわることになっていた。だが、葬儀係は自分の権利をアントワーヌにゆずって、自分は、二角帽《ビコルヌ》をかぶった御者のとなりによじのぼった。馬車は、ゆらりとゆらいだと思うと、場末の敷石道の上をがたつきながら、なみ足で進みはじめた。ふたりの司祭は、葬儀用のランドー(四輪ほろ馬車)に乗ってうしろにつづいた。

席まで身を引きあげようと骨をおったおかげで、アントワーヌは気管支に刺激を感じていた。そして、やっと腰をおろしたと思うと、執拗なせきにゆりあげられたため、長いこと、ハンケチを口にあててうつむきこんでいた。

ジゼールは、男ふたりのあいだにはさまっていた。彼女は、せきのおさまるのを待って、アントワーヌの腕に手をかけた。

「来てくだすってよかったわ。まったく予想していなかったんでしたの！……」

「何から何まで予想しなければならない時代でしてな」と、シャール氏は、ものものしいようすでためいきをつくように言った。彼は、アントワーヌのせきこんでいるのを見ようとしてかがみこんでいた。そして、眼鏡の上から、じっと彼をながめていた。「さきほどはどうも失礼いたしました。すっかりお見それ申してしまいまして。でも、ジゼールさん、あんたもちょっとわからなかったことでしょう？」

アントワーヌは、ちょっと不愉快に思わずにはいられなかったが、それでも愛想のいいようすをしてみせた。

「そうなんだ……少しやせたから……イペリットにやられてね！……」

ジゼールは、そのがらんとしたうつろな声にはっとして、彼のほうをふりかえった。最初、中庭で会ったとき、彼女はアントワーヌを一目見てはっとした。だが、そのときは、はっきり観察したわけではなかった。五年も会わずにいたことだし、それに軍服姿であったことから、変わってみえたにしてもべつにおどろきはしなかった。ところがいま、彼女はふと、アントワーヌが想像以上に深くやられているのではないかと思った。彼女は、毒ガス中毒のことについては、何もくわしいことを知らずにいた。ただ南仏で療養中だということだけを知っていた。《快方に向かいつつある》と、手紙にも書かれていた……

「イペリット？」と、シャール氏は、いかにも得意らしく、心得顔に言った。「さよう。イープル・

ガスですな（イペリットの名は第一次欧州大戦の際、ドイツ軍がイープル戦線ではじめて使用したのにはじまった）。からしガス《ムータルド》（目にしみることから名づけられたもの）とも言っております……現代文明の一発見ですな……」彼は、物めずらしそうに、じっとアントワーヌの顔を見まもっていた。「そのガスのおかげで、げっそりおやせというわけですな……そのかわり、武功十字章をおもらいでした。それに、たしか武功章《ハルム》を二つ……いや、なんともご名誉なことでございますな」

ジゼールは、ちらりとアントワーヌの軍服を見た。これまでの手紙の中で、彼は勲章のことなどにおわせていなかった。

「で、お医者さまは？」と、彼女は思わず口にだした。「なんと言ってまして？　ずっと病院にいなければいけないって？」

「なにしろ回復がおそいんだ」と、アントワーヌは正直に言った。彼は、つとめて微笑してみせようとした。彼は、何か言い足そうとして深く息を吸いこんだまま、口をつぐんでしまった。いま、馬は速足で走りはじめていた。そして、車の動揺から、彼には息をつくことができなかった。

「てまえどもの発明館では、何から何まで入用の品を売っておりましてね。もちろん防毒面も」とシャール氏は、お愛想のつもりで歯をむき出してみせながらひと思いに言った。

ジゼールは、何かひと言、やさしい言葉をかけてやろうと思った。

「で、ご商売はうまくいっていまして？　ご満足でして？」

「ええ、ええ、うまくいっていますとも……当節なみにね！　万事、機を見ることがかんじんですよ。なにしろ、発明家という発明家は全部動員されてしまいました。そして、戦場へ行ったら、何一つ考えたりなんかできません……でも、ときどき、何か思いつく人間がおりましてね。たとえばこんど売りだした《連合国すごろく》もそれでして……携帯至便……マルヌとか、エパルジュとか、ドゥオーモンとか、戦場が絵柄にあてはめてありましてね……前線でどえらい評判になっています……ねえ、ジゼールさん、万事、機を見ることがかんじんですよ……」

《ふん、きさまだけは変わっていないな》と、アントワーヌは思った。

馬車は、ポワン・デュ・ジュール町からルヴァロワへ行くため、市の外郭の大通りを通って行った。きょうの日曜日は、明るい陽気な一日になりそうだった。すでに日の光は暑くなりかけていた。城《フォルチ》砦《フィカシヨン》の土手の上には兵士たちがぶらついていた。ドーフィーヌ門のところでは、はでな身なりのパリジェンヌたちが、子供たちや犬をつれてボワ（ボワ・ドゥ・ブーローニュ）へはいって行くところだった。そして、人道には、花をいっぱい積んだ野菜商人の車がずらりと並んでいた。少しも昔と変わりがなかった。少しも……「なんの病気で死んだんだね？」アントワーヌは、車の動揺に言葉をとぎらせながらこうたずねた。

ジゼールは、待っていたと言わんばかりに彼のほうをふり向いた。

「なんの病気って？　かわいそうなおばさん……おばさんは、つまり《根《こん》が尽きた》っていうわけでしたの。胃も、腎臓も心臓もやられてしまって、何週間もまえから、ぜんぜん消化できなくなっていました。そして、最後の晩、心臓が急にとまりました」彼女は、しばらくのあいだ口をつぐんでいた。「ご想像もつかないと思いますけど、養老院にはいってから、おばさんの性格はすっかり変わってしまいましたの……自分のことしか考えなくなってしまいましたの……自分の養生のこと、わが身の安楽のこと、銀行のこと……女中たちや童貞さんたちを、それはそれは手こずらせました……そうなんですの！　どんなことにも文句をつけて、まるで自分がいじめられてでもいるかのよう。とうとうしまいに、お隣の人が金を盗んだとさえ言いましたの。そして、えらい騒ぎになりました……それにまた、童貞さんたちが自分を毒殺しようとしているんだと思いこんで、幾日というもの、一滴の水さえ飲まずにいました！……」

ジゼールはふたたび口をつぐんだ。そして、しばらくのあいだ沈黙がつづいた。ジゼールは、アントワーヌの沈黙の意味を誤解していた。彼女はそれを、非難の意味に解していた。それというのは、この幾日、彼女は何か割りきれない気持ちに苦しめられていたからだった。彼女は絶えず、自分がおばにたいし、自分の尽くすべきことを尽くしたかどうかを考えつづけていた。《あたしは、すっかりおばさんに育てられたんだ》と、彼女は思った。《それなのに、あたしは、おばさんから離れることができるようになるが早いか、たちまちおばさんから離れてしまった。そして、養老院へはいってからも、ほんの数えるほどしかたずねてあげなかった……》

「なにしろ、メーゾン・ラフィットでは」と、ジゼールは、申しわけとでもいったように、ちょっと声に力を入れながら言葉をつづけた。「あたしたち、病院のことで手が抜けないんですから！……来たいと思っても、それがなかなかたいへんですの。とりわけこの何カ月、ずっとおばさんに会いませんでした。ところが、このあいだ、院長さんからの手紙をいただいて、すぐ駆けつけてきました。

忘れようにも忘れられませんわ……かわいそうなおばさん……お部屋の奥で、シュミーズとペチコートだけのすがた、とり乱したようすで、頭には白い網帽子をかぶり、いっぽうの足だけ靴下をはき、片方の足はむきだしのまま、トランクの上に腰かけて着物をかたづけていましたの。まるで骸骨のようになって。ひたいはくぼみ、頬はこけ、首のあたりの肉はすっかり落ちて……でも、足だけは、びっくりするほど若々しく、みずみずしいとさえ言えるほどで、まるで若い娘の足そっくり……あたしのこと、ほかの人たちのこと、何も聞いたりしませんでした。そして、お隣の人たちや童貞さんたちの不平を言いだしました。それからこんどは、ほら、あの机をあけにいきましたの……《いざというときの費用にあてるため》貯金の隠してある引き出しを見せてくれようとして。そして、お葬式のことを話しだしました。《これで会うのもおしまいだよ。わたしは死んでいくんだからね》それからこんなことも言いましたわ。《でもね、心配しないでもいいんだよ。院長さんにおたのみして、お年玉だけは送ってあげることにするから》あたし、それをじょうだんにしてしまおうと思いました。——《だっておばさん、あなた何年もまえから、いつも死ぬ死ぬって言っておいでだったわね!》すると、おばさんはおこりだしました——《わたし、死んでしまいたいんだよ! 生きているのにくたびれたんだよ!》それから、自分の足を見ながら、《ほらなんてかわいい足なんだろう。おまえは、いつも男の子のような大きな足をしていたね!》って。あたし、帰りがけに、おばさんにキスしてあげようとしたんですの。ところが、おばさんは身をもがいて——《キスなんかやめておくれ。わたし、くさいんだから。わたし、年寄りのにおいがするんだから……》そして、そのとき、おばさんはあなたのことを言いました。あたし、戸のところにいたら、おばさんが呼びとめました。《あのね、わたし、歯が六本も抜けたんだよ！　まるで、ほら、小さなかぶらみたいに抜けちゃったのさ！》そして、例の、かわいらしい笑いかたで、陽気に笑いだしました。《六本もさ！　アントワーヌさんにいってあげてね……そして、会いたかったらすぐ来るようにってね！》」

アントワーヌは聞いていた。それは、感動なしには聞かれないことだった。彼はいま、病気とか死とかの話に、好奇心とでもいうようなものを感じていた。もっとも、こうした彼女のおしゃべりのおかげで、彼は黙っていることができた。

「それがいちばんおしまいのとき？」

「いいえ。十日ばかりまえに、も一度やって来ました。手紙で、おばさんが終油《サクラメント》の秘蹟を受けたことを知ったからですの。お部屋の中はまっ暗でした。もう日の光にも堪えられないようになっていたので。童貞《スール》マルトがベッドのところまでつれてってくださいました。おばさんは、ふとんの中にくるまって、とても小さくなったようでした……マルトさんは、おばさんを昏睡状態から揺り起こしてくださろうとしました。《ジゼールさんですよ！》やっとふとんが動きました。でも、それがおばさんに通じたのか、あたしということがわかったのか、そこははっきりしませんでした。おばさんは、はっきりこんなことを言いました。《なんて手間がとれるんだろう！》そして、あとからすぐに追っかぶせて《戦争のほうは、何か変わったことがあったかね？》あたし、話してあげました。でも、なんの返事もありませんでした。わかったらしくも見えませんでした。あたしの話に、幾度も言葉をはさんでは、《で？　何か変わったことがあったかね？》ひたいにキスしてあげようとすると、いきなりあたしを突きのけました。《髪がくずれてしまうじゃないか！》かわいそうなおばさん……《髪がくずれてしまうじゃないか》それがおばさんから聞いた最後の言葉……」

シャール氏は、そっとハンケチで目をふいた。それから、ハンケチを元どおりに丁寧にたたむと、とがめだてするようなちょうしで、口の中でつぶやいた。

「それはだめだ……髪をくずしたりしてはだめだ！」

ジゼールは、さっと顔を伏せた。そして、われにもあらず浮かべた若々しい、いたずらっぽい微笑が、稲妻のようにその顔のうえをかすめた。アントワーヌは、その微笑のかげを見のがさなかった。彼にはとつぜん、ジゼールが、とても身近なもののように感じられた。彼は、《ニグレット》という名で彼女を呼んでやりたくなった。そして、昔どおりに、いやがらせをしてやりたくなった。

馬車は、シャンペレ門の鉄門にさしかかって、形式的にちょっととまった。広場には、防空用の火砲自動車や、機関銃自動車や、探照灯自動車などが、哨兵に見張られ、偽装した覆い布をかぶされてとまっていた。葬列がふたたび動きだし、ルヴァロワのごみごみした町の中へはいって行ったとき、シャール氏は嘆息するようにこう言った。

「おお……それにしても、おばさんは養老院においでておしあわせでしたな！　アントワーヌさん、わたくしのねがっているのもそれなのでして。つまり男のための養老院、ただし、設備のいいやつですな……それがあったら、なんの心配もいりますまい……どんなことがおこったって、高みの見物でいられましょう……」シャール氏は、眼鏡をふこうとしてそれをはずした。眼鏡をはずすと、そこには、しょぼしょぼした、感傷的な、やさしい眼差しがうかがわれた。「お父さまからいただいた年金もすっかり提供してしまいましょう」と、彼は言葉をつづけた。「そして、一生安心していられることになりましょうな……朝寝もできる。自分だけのことを考えていられる……ラニーの養老院へ行ってみたことがあります。しかし、目下の形勢から言ってあそこはちょっと東部によりすぎていますな。いかがでしょう、ドイツのほうは心配しないでよろしいでしょうか？　それに、あそこの防空壕というやつがだめでしてね。ほんとの地下室ではありません。目下の場合、防空壕だけはほんとでないと……」彼はその《目下の場合》という言葉を、ふるえ声で、そして、さも不吉な前兆を押しのけるとでもいうように、黒手袋をはめた両手を顔のまえにあげながら言った。すりきれたスウェードの手袋、それはあまり長すぎるので、こわばった皮は指の先のところでみっともなくねじくれ、まるでめくら貝のようにちぢこまっていた。

アントワーヌとジゼールは何も言わなかった。ふたりは、もう微笑する気にもなれなかった。

「何から何まで心配ですな。どこへ行っても、だいじょうぶというところはありませんな」と、シャール氏はなさけなさそうに言葉をつづけた。「警報のでた晩、せめてほんとの防空壕さえあってくれたら、まずだいじょうぶというわけですが……さよう、あそこでしたらだいじょうぶです……第十九区の、わたくしの家のまん前のところ、あそこに防空壕がありまして。ほんとのやつが……」彼は、ちょっと口をつぐんだ。アントワーヌがせきこみはじめたからだった。それから彼はこう結んだ。

「アントワーヌさん、防空壕の夜というやつ、目下の場合、そこがせめてものたよりですな！」

馬は大きな土塀に添って行きながら、並足になっていた。

「ここらしいわ」とジゼールが言った。

「ところで、このあとはどこへ行くんだね？」と、アントワーヌがたずねた。彼は、横腹にひびいてくる車の動揺をやわらげるため、馬車のもたれに強く肩をあてていた。

「ユニヴェルシテ町ですの。あなたのお宅……おといから泊めていただいています……馬車で送ってもらうことになっていて、それもお勘定にはいっていますの」

「それよりは、乗りごこちのいいタクシーでも見つけようよ」と、アントワーヌは微笑しながら言った。かごの上によじのぼったときから、彼には、そこにいるのもつらいと同時に、おりることを考えると、これまたつらくてならなかった。そこで、帰りには、断然ほかの乗り物にしようと決心していたのだった。

ジゼールは、びっくりしたようすで彼をみつめた。だが、べつになぜともたずねなかった。

それに、おりから馬車は墓地の入口にさしかかっていた。

三

「うまく吸いつきましたわ。十分間そのままでいらっしゃれる?」

「二十分でも」

吸角を八つ背中にくっつけたまま、アントワーヌは、ユニヴェルシテ町の小さな書斎の中で、椅子に馬乗りに腰かけていた。

「待ってらしってね」と、ジゼールが言った。「かぜを引くといけないから」

彼女は、一脚の安楽椅子の上に看護婦外套をおいていた。彼女は、それを取って、アントワーヌの肩をつつんでやった。

《なんてやさしく、それに親切なんだろう》アントワーヌは、かつて自分の心をあたためてくれた彼女の親切が、いまもそっくり、そのままなのに驚きながら、心の中にそう思った。《この何カ年というもの、どうしてあんなに疎遠にしていたのだろう? なぜ手紙をやらずにいたのだろう?》彼はとつぜん、ル・ムースキエの桃色の部屋のこと、鏡の上で足を蹴あげている六人のアメリカ娘のこと、食事のときの混雑のこと、いっしょうけんめいではあるが無器用なジョゼフの世話のことなどを思い

だした。《ここにいて、ジゼールに看護してもらえたらどんなにたのしいことだろう……》

「ドアはあけておきますわ」と、ジゼールが言った。「ご用があったらおよびになってね。ポポット（軍隊でのまかない食事）をつくってきますから」

「ポポットはよしてもらおう！」と、荒々しく彼はさけんだ。「まっぴらだ！　四年このかた、いやになるほどポポットだった！」

ジゼールは微笑してみせた。そして、彼を残して出て行った。

彼はいま、ふたたびわが家にもどれたといった感じ、まくらもとにやさしい女手のあるということを思いながら、ただひとりでいたのだった。

同時に彼は、あの《におい》とともにいたのだった。それは、彼がわが家のしきいをまたぎ、玄関を通りながら、かつて帽子をかけていた左側の帽子掛けに機械的にその軍帽をかけたとき、たちまち彼をおそったところのものだった。そのとき以来、彼は、絶えず小鼻をふくらませながら、あきることのない好奇心をもって、一度忘れたまま、いままたたちまち思いだされたわが家のにおいをかぎつづけていたのだった。それは、そこはかとない、おぼろげな、なんとも分析しようのないにおい。それは、油絵、敷物、窓掛け、安楽椅子、書物などから同時に発散し、階《フロワー》全部に微妙にしみこんでいるにおいで、毛織物、ワックス、タバコ、皮革、薬品など、数かぎりないさまざまなにおいのまじり合ったものだった。

墓地からの帰り道、スーツケースを受け取りに行ったリヨン駅へのまわり道、それはアントワーヌにとって、いつ果てるとも知らぬ長いものに思われた。脇腹の痛みは、ますますはげしさを加えていた。呼吸困難はますますはげしくなっていた。そして、わが家の前で車をおりたとき、からだぐあいはとても悪く、しみじみ遠道をしたことが悔やまれた。さいわい、彼は手当のための材料を持ってきていた。そして、家につくが早いか、オゾン注射をして呼吸困難をおさめることができた。つづいて、ジゼールは、彼の指図にしたがって吸角をつけてくれた。その吸角がききだしていた。すでに気管支は自由になり、呼吸も楽になりかけていた。

アントワーヌは、身動きもせず、首をまげ、背をのばし、やせた両腕を椅子のもたれの上に組んだまま、感動深い眼差しであたりをながめまわしていた。何ひとつ変わっていない。ジゼールは、手早く家具のおおいを取り去り、安楽椅子を昔の位置にすえ、よろい戸をあけ、すだれもなかばおろしておいた。何ひとつ変わっていない。それでいて、すべては、思いがけなかったものといった感じだった。自分がかつていつも暮らしていたこの部屋、それはちょうど、長い年月ぜんぜん忘れていたあとで、とつぜん目のくらむような正確さで浮かびあがってくる幼年時代の思い出といったように、彼にとって、親しみぶかいと同時に、何かはじめてみるものといったような感じだった。彼の眼差しは、なつかしそうに、美しい薄栗色の敷物、皮の安楽椅子、ディヴァン、クッション、切込み暖炉、その上におかれた置き時計、壁にとりつけたブラケット・ランプ、書棚などの上をさまよいつづけた。《おれはほんとに、この部屋の調度に、それほど重要性をみとめていたのだろうか?》と、彼は思った。一冊一冊の本の上に――それは、じつのところこの四年間、一度も考えてみたことのない本だったが――彼は、それをついきのう手にしたかのように、はっきりその標題を思いだすことができた。一つ一つの家具、一つ一つの物――円テーブル、べっこうの紙切り、竜のついたブロンズの灰皿、シガレット・ケース――それらは、おのおの何か一つのこと、一生の一つの時期、それを買った時と場所、病症の経過をいまなお逐一思いだすことのできる患者からそれをもらったときのこと、あるときのアンヌの身ぶり、あるときのステュドレルの意見、そしてあるときの父の思い出などを浮かびあがらせてくれた。それというのも、この書斎は、かつてチボー氏の化粧室だったからのことだった。目をつぶると、そこにはたちまち大きなずっしりとしたマホガニーの洗面台、鏡のついた衣装箪笥、足湯のための銅のたらい、部屋の片すみに立てられた靴ぬぎ板などが思い浮かんだ……そして、アントワーヌは、たとい自分にとって模様変えされたいま見るような部屋ではなく、そこに幼年時代そのままの部屋が見られたとしても、おそらくこれ以上驚きはしなかったにちがいなかった。

《ふしぎだな……》と、彼は思った。《さっき門をはいりながら、おれはわが家にはいるといった気持ちになれなかった。おやじの家といった気持ちだった……》

彼は目をあけた。そして、ディヴァンについている低い机の上に、電話のあるのが目にはいった。そこで幾度も電話をかけていた青年の姿、それはいま、彼の目の前に、いかにも若々しく、わが力を信じ、高びしゃな態度で、いつもいそがしそうに、そして、生きること、動くことに疲れを知らぬたのしそうなすがたで思いだされた。その青年と彼とのあいだには、戦争と、反抗と、冥想の四年が横たわっていた。そこには、長い苦しみの歳月、ふとおそいかかる肉体的な衰弱、一瞬たりとも忘れることのできない早老の事実が横たわっていた。彼は、とつぜんたまらなくなって、両腕の上にひたいを伏せた。過去の前に、いま現在は次第に薄れていっていた。父、ジャック、おばさん。みんな亡き人になってしまっている。彼の目には、かつての家族の生活が、若さと健康のプリズムをとおして思い浮かんだ。そうした昔にかえれるものなら、何をあたえても惜しくないと思った！　彼の現在の悲しみには、失われたものへの愛惜の気持ちがまじりこんでいた。あまりのさびしさに、彼はあやうくジゼールをよぼうとした。だが、彼にはまだ、自分をおさえるだけの力があった。事実を正視するだけの力があった。万事は健康の問題なのだ。何をおいても健康を回復しなければ。彼は、できるだけ早く、恩師フィリップ博士と真剣に話しあい、さらに積極的な、さらに手っとり早い手当の相談をしようと思った。ル・ムースキエでの手当のままでは、けっきょく衰弱するほかはないだろう。これほどからだが弱るというのも、たしかにまともなことではないのだ！　フィリップ博士は、きっと自分の回復に力をかしてくれるだろう！　フィリップ博士……ジゼール……彼の考えはみだれてきた。ジゼールをル・ムースキエにつれて行く……回復……とつぜん彼は眠くなってきた。

それから何分かして目をさましたとき、ジゼールは、一脚の安楽椅子の腕によりかかりながらじっと彼をながめていた。ジゼールは、いささか不安な気持ちで彼を注視しながらまゆのあたりをしかめていた。アントワーヌには、隠しだてすることのへたな、すべすべしたジゼールの顔のうえに、彼女がいま何を考えているかを読みわけることができた。

「どうだい、衰弱してるだろう？」

「いいえ、おやせになっただけ」

「去年の秋から九キロもへった！」

「すこしは楽におなりになった？」

「とても」

「まだお声が……すこしかすれていますわね」アントワーヌの変わり方のうち、声帯がこうも弱っているということ、声がかすれているということに、ジゼールはいちばんはっとさせられていた。

「いまじぶんはなんともない。だがときどき、たとえば朝など、ぜんぜん声が出ないんだ」

沈黙。彼女は、とつぜん立ちあがりながらそれを破った。

「取りましょうか？」

「取ってもいいね」

ジゼールは、椅子を引きよせて彼のそばに腰をおろした。そして、彼をひやりとさせてはいけないと思って、手を外套の下から入れて、そっと吸角をはがしはじめた。取れた順に、彼女はそれをひざの上においた。そして前掛けの四すみをつまみながら、ガラスの吸角をゆすぎに行った。

アントワーヌは立ちあがると、楽に呼吸のできるようになったのをたしかめ、紫いろの丸い痕《あと》のついた骨ばかりの背中を鏡にうつしてみてから、着物をきた。

彼がジゼールのところへいったとき、彼女は、食卓の準備をおわりかけていた。

アントワーヌは、大きな食堂、そこに並んでいる二十ばかりの椅子、かつてレオンが膳ごしらえをしていた大理石の食器台などをひとわたりながめまわしたあとで、こう言った。

「ねえ、戦争がすんだら、この家を売ってしまおうと思ってるんだ」

ジゼールは、手に皿を持ったまま、びっくりしたようすでふりかえって、じっと彼をみつめた。

「このお家《うち》を？」

「いっさいがっさい始末したいんだ。何から何まで。そして、小さな、かんたんな、実用的なアパートを借りることにしよう……ぼくは……」

そう言いながら微笑した。どうしようと思っているのか、彼自身にわからなかった。だが、ただ一つはっきりわかっていたことは、けさ考えていたのとは逆に、今後ふたたび、以前のような暮らし方はぜったいしまいということだった。

「エスカロープ、バターいためのヌイユ（うどんの一種）、それにいちご……こんなところでいいかしら？」と、ジゼールがたずねた。せっかく自分の気に入るように作り直したこの家を、なんでアントワーヌがきらいになったのか、彼女はそれをわかりたいとも思わなかった。たいして夢というものを持っていない彼女なのだった。したがって、将来の計画といったものについても、たいして興味を持っていなかった。

「めんどうをかけたな」と、アントワーヌは、並べられた食事をみながら言った。

「あと十分間ばかりお待ちになってね。それに、まだナプキンもみつからないのよ」

「ぼくが行ってさがしてくる」

納戸《なんど》の中は、ひろげられた、そして乱れたままになったたたみベッドでいっぱいになっていた。ふとんの上のくぼんだところには、ロザリオのはしがのぞいていた。着物は、椅子に投げだされたままだった。

《なぜ廊下のはずれの部屋に寝なかったのかな?》と、彼は思った。

彼は戸棚をあけてみた。また別の戸棚。さらに別の戸棚。三つが三つ、新しいシーツや下着類でいっぱいだった。シーツ、まくらカバー、タオル地の化粧着《ペニョワール》、ふきん、炊事用の前掛け。何ダースとしれず、買ったときのまま赤いひもでしばられていた。彼は思わず肩をすくめた。《愚劣だな、……最小限度の必要だけにとどめるんだ。あとはすっかり売ってしまおう!》そう思いながらも、彼はナプキンの束を一つ取った。そして、中の二枚を引っぱりだした。《わかった! ジゼールは、ジャックのいた部屋に寝たくないと思って、この部屋をえらんだのだ……》

ふたたび廊下に出て来た彼は、きわめてのんきな足どりで、ラックを塗った壁の上をあちらこちらさわってみたり、通りすがりに、ほうぼうの部屋の戸を細めにあけては、まるで他人の住まいをのぞくといったように、ものめずらしそうな一瞥をそそいだ。

玄関までもどった彼は、診察室の観音びらきのドアの前で立ちどまった。彼は、しばらくはいろうかどうかためらっていた。それからドアのハンドルをまわした。部屋はすっかりしまっていた。書棚の前には、おおいをかけた家具がころがされたままになっていた。部屋は、ずっと大きくなった感じだった。光線は、よろい戸のすきまから流れこんでいて、とりとめのない光がみなぎり、まるで接待日にしか人を入れない、田舎の家の大きな客間といった感じだった。

彼はとつぜん、一九一四年七月下旬のこと、ステュドレルが持ってきて見せた新聞のこと、論争のこと、また煩悶のことを思いおこした。さらにまた、ジャックが幾度かたずねて来たときのこと……しかもジャックは、ジェンニーをつれては来なかったか？　動員のくだった当日に？……彼は、かまちにもたれながら、上体をうつむきかげんにして、しきりに鼻を鳴らしていた。においはここでもにおっていた。ほかのところよりもさらにはっきり、さらに強く。それはちょっとちがったにおいではあったが、ずっとたのしくにおいながら……部屋の中央には、堂々とした大きな事務机が、上から布のおおいをかけられ、子供の葬龕《そうがん》さながらのように見えていた。

《あの下に、何がおいてあるのかしら？》

アントワーヌは、部屋にはいって、おおいをまくってみようとした。机の上は、山のような小包や小冊子などでいっぱいだった。戦争以来、ありとあらゆる印刷物、広告、新聞、雑誌、それにほうぼうの研究所から送ってくるさまざまな薬品見本は、すべて家番の手によってここに持ってこられていた。《なんのにおいだろう？》と、アントワーヌは思った。いつもかぎなれたにおいのほかに、そこには何か特殊なにおい――重い、なにやら香ばしいにおいがまじっていた。

彼は、機械的に何冊かの医学雑誌の封を切りながら、そのページを繰ってみた。と、とつぜん、彼にはラシェルのことが思いだされた。なぜだろう？　どうしてアンヌでないのだろう？　この家には一度も足をふみ入れたことのなかった彼女、しかもこの何カ月、一度も思いださなかった彼女のことが、なんで思いだされたというのだろう？《その後どうしていることやら？ いまごろどこにいるのだろう？ 赤道下、どことも知れず、ヨーロッパから遠いところ、戦争からも遠いところ、イルシュといっしょにいるのかしら……》彼は、ル・ムースキエに持って帰ろうと思った何部かの小冊子を、暖炉のマントル・ピースの上にほうりあげた。《いま、こうした雑誌を占領している医者たちは、誰も彼もが動員されなかった老いぼれどもだ……なんたる好運！ やつらはそれをいいことにして、かびた論文を持ちだしているんだ……》彼は、目次に目を通した。ときどき、前線の野戦病院からの若い軍医が、ひまを見ては、何か特殊な症状についてかんたんな報告をよせていた。とりわけ外科方面の連中が……《外科医学の発達……戦争も、せめてはこうした方面でお役に立つというわけだな……》彼は、そのまま、さらに雑誌の山を掘りかえし、あちらこちらで何か小冊子をさがしだしては、それをマントル・ピースの上に投げあげていた。《幼児の呼吸障害に関する論文だけでも清書できたら、セビヨンは、きっと彼の雑誌に載せてくれるだろうか……》ふと彼は、ほかのとちがった一つの小包に目をひかれた。それには、いろいろの色の切手がいっぱい張られていたからであった。アントワーヌは、それを手にして、いそいでにおいをかいでみた。すると、さっきから気になっていたたまらないにおいが、またもや急に心をそそった。彼は、小鼻をふくらませながら、差出人の名まえを読んでみた。《フランス領ギニア、コナクリ病院内、ボネ嬢》切手には、《一九一五年三月》の消印がおされていた。いまから数えて三年まえだ。彼は、びっくりして、その小さな小包を自分の手の中で引っくりかえしてみては、その重さをはかってみた。薬品か？　それとも香水か？　彼は、ひもを切って紙包みの中から正方形の箱を取りだした。赤みがかった一つの木箱で、四方はすっかりくぎづけされていた。《やれやれ……なかなかあけるのに骨がおれるぞ……》彼は、あたりを見まわしながら、何かないかとさがしてみた。そして、あわやあけるのを断念しようとしかけたとたん、ポケットに軍人用のナイフを持っていたのを思いだした。板のすき間で刃がきしんだ。軽く力を入れると、そのまま蓋があいてくれた。はげしいにおいが、さっと鼻をおそってきた。東洋の香炉のにおい、安息香、香のにおい、知っているにおいでありながら、はっきりなんであるかわからなかった。彼は、つめのさきで、そっと敷いてある鋸屑《おがくず》をかきのけた。すると、出てきたのは、きらきらした、ほこりにまみれた、いくつもの小さい、黄ばんだ卵のようなもの。そのときとつぜん、彼の目には、過ぎし日のことが思い浮かんだ。これらいくつかの黄いろい玉……竜涎香《りゅうぜんこう》と麝香《じゃこう》でできた首飾り！　それはラシェルの首飾り！

アントワーヌは、それを手にとって、注意ぶかくこすりつづけた。その目は次第にうるんできた。ああ、ラシェル！　彼女の白い首、またその襟足……ル・アーヴル港。夜の引き明けに出帆していったロマニア号……それにしても、いったいどうしてこの首飾りが？　コナクリ島のボネ嬢とは？　一九一五年三月……これはいったいどうしたわけか？

彼は、廊下の足音を耳にして、すばやく首飾りをポケットにしまった。

それは食事のためによびにきたジゼールだった。彼女は、戸口に立ちどまって、にヽおヽいヽをかいだ。

「変なにおいがしますこと……」

彼は、雑誌や薬品の山の上にふたたび布をかぶせた。

「こんなところに、いろいろな特殊な薬がおいてあるんでね……」

「いらっしゃらない？　もうおしたくができましたわ」

アントワーヌは、彼女のうしろにしたがった。彼にはポケットの奥、手のひらのくぼみの中に、冷たい玉のぬくもっていくのが感じられていた。彼は、白い、そして褐色をおびたラシェルの肉体のことを思っていた。

四

ふたりが大きな食卓のいっぽうの端に並んで腰をおろしたとき、ジゼールは、思いつめたといったようすで、

「で、おからだのことについてほんとうのことを聞かせてくださらない？」

アントワーヌは、口をとがらせてみせた。彼としては、自分のこと、自分の病気のこと、自分のうけている手当のことなど、むしろすすんで話したく思っていた。だが、相手からぜひにと言ってもら

うこともまんざら悪い気持ちではなかった。そこで、ジゼールからの最初のいくつかの質問にたいして、たいして気のりしないようなようすで答えていた。だが、彼には、そうした彼女の質問が、なかなかばかにできないことがすぐわかった。自分がとかく、ほんの少女扱いをしていたジゼールも、いまや三年にわたる病院づとめの結果、きわめて確実な知識の所有者になっていた。いまでは、医学のことを語るにたりる彼女だった。このことは、さらにふたりを近づけるところのものなのだった……ジゼールが案じていてくれるのに励まされた彼は、自分の病状を説明し、この数カ月間のさまざまな経過について話して聞かせた。もしジゼールにして、彼の言葉をかるがるしく信じるようすでも見せたとしたら、もしジゼールにして、彼を励ますような言葉をやつぎばやにあびせたとしたら、彼はたちまち、自分の不安を誇張したかもしれなかった。だが、ジゼールがいかにも緊張した顔つきで彼の言葉に耳をかし、いかにも真剣な、さぐるような眼差しを自分にそそいでいるのを見ると、彼は、逆に相手を安心させてやるようなちょうしで、次のように言葉を結んだ。

「いずれぼくはなおるにちがいないさ」（そして、事実彼は心の中でそう思っていた。）「それは相当長くかかるだろう」と、彼は、信じきっているように微笑してみせた。「だが、なおることだけは――そうだ、りっぱになおるにちがいないんだ……問題は、すっかりなおりきれるかどうかにある。そこでだ、たとえば咽喉《のど》がまったくだめになるとか、でないにしても声帯がひじょうに弱ったとした場合、これまでどおり医者の仕事をつづけていけるかどうか？……わかってくれるね。ぼくは、生きているという確信が持てただけではがまんができない。このさき、役に立たない人間として生きてなんぞいきたくないんだ。まえどおりの健康を回復できるという確信が持ちたいんだ！　ところが、それはあまりたしかでないんだ……」

ジゼールは、相手の言葉をはっきり聞きとるため、それをはっきり理解するため、食事の手をやすめていた。そして、原始人のそれといったような、つぶらな、びっくりしたような、じっと見すえた、そして柔順な目で、彼の顔をながめていた。アントワーヌには、何年というもの飢えていたこうしたやさしい心づかい、それがいかにもたのもしく思われた。彼は、安心したように小さく笑った。

「こいつはあまりたしかでないんだ。だが、けっして不可能なこととは言いきれない。根気よくやりさえしたら、やってできないようなことはほとんどないのだ！……きょうまでのぼくは、自分で真剣にやろうと思ったことを何から何までやってのけた。こんどにしても、どうしてそれができないと言えよう？……ぼくはなおろうと思っている。ぼくはなおるにちがいないんだ」

アントワーヌは、この最後の言葉に力をこめた。だが、せきこんできたので、言葉をきらなければならなかった。せきはとてもはげしかった。そして、そのままいつまでもとまらなかった。そのあいだ、ジゼールは、皿の上にかがみこんで、こっそり彼のようすをうかがっていた。彼女は、気を落ちつけようとつとめていた。《しようと思えば、どんなことでもできるんだ。からだをいたわることもできるだろう。そして、きっとなおるにちがいない》

発作がおわったとき、ジゼールは彼のほうを向き直った。アントワーヌは、しばらく口をきかずにいたいと手まねで知らせた。

「水を少し飲んでみたら」と、コップに水を注ぎながらジゼールが言った。そして、口まで出かかった質問をおさえきれずに「いつまでおいでになれるんですの？」

アントワーヌはなんとも答えなかった。それは、彼としては言わずにおきたいことだった。じつのところ、休暇は四日間ということになっていた。だが、彼は、それをもっと早く切りあげようと思っていた。ときどき手当をしなければならず、それに何かと疲れることの多いこのパリで、四日間という長いあいだをすごす気にはなれずにいた。

「幾日くらい？」と、彼女は、問いかけるような目つきで言葉をつづけた。「八日？　六日？　五日？」

アントワーヌは、ちがうというように首を振ってみせた。そして、深く息を吸いこみ、微笑したあとでこう言った。

「あした発つんだ」

「あした？」彼女はとてもがっかりして、その声までもふるえていた。「では、メーゾン・ラフィットには来てくださらない？」

「だめだ……こんどはだめだと思う！……いずれまた……たぶん夏にでも……」

「では、ちょっとお会いできただけではありませんか？　あんなに長くお会いしないでいたのに！……あした？……それにあたし、ごいっしょにパリにいられませんのよ。今夜どうしてもメーゾン・ラフィットに帰らなければならないんです！　あしたの朝の仕事が待っているから。だって、ここへ来てからもう三日め。そして、出てくるまえの日に、六名も患者が来たんですもの！」

「だって、たっぷり一日いっしょにいられるじゃないか」と、アントワーヌは、とりなすように言った。

「ところが、それさえやっぱりだめなのよ」と、彼女はがっかりしたように言った。「これから、養老院に行くことになっていますの。おばさんについてのいろいろな事や家具の始末をしなければなりませんもの。すぐ部屋を明けわたしてほしいって言われていますの……」

彼女のまぶたは、涙でふくれていた。アントワーヌはすぐに、まだ子供のころ、彼女が何か悲しがっていたときのことを思いだした。そして、またもやさっきの考えが思い浮かんだ。《どんなにたのしいことだろう、ジゼールに看病してもらえたら。こうした愛情につつんでいてもらえたら……》

アントワーヌは、なんと言っていいかわからなかった。彼にとっても、こうして、あっけなく別れてしまうことはなんとしてもたまらなかった。

「許可を延ばしてもらえるだろうと思うんだが」彼は、心にもなく口から出まかせを言ってしまった。「よくわからないが……たのんでみられると思うんだ……」

ジゼールは、さっとその目を輝かせた。そこには、ふたたび笑いのかげさえ浮かんでいた。その目は、涙をとおして美しかった……（それがまた、アントワーヌに昔のことを思いださせた。）

「そうしてごらんになったら？」彼女は、手をたたきながら、そうきめていた。「そして、メーゾン・ラフィットに来て、わたしたちと幾日かをすごすのよ！」

《まるで子供だな》と、アントワーヌは思った。《そして、このなんといっていいかわからない子供っぽさと女としての成熟さとの対照、それがなんとも言えずたまらないな……》

アントワーヌは話の向きを変えようとして、さも問いかけるようすで彼女のほうをのぞきこんだ。

「ちょっと聞きたいことがあるんだがね。いったいどうして、誰もきみといっしょにパリに来なかったんだね？　メーゾン・ラフィットは、たいして遠方のことではないし、葬式に、きみをひとりでこさせるなんて！」

ジゼールは、すぐさまそれに異議をとなえた。

「それは、あそこでの仕事のことがわかっておいでではないからよ！　だって……あたしが出かけて留守にすれば、ずっとほかの人たちの仕事がふえるんですもの！」

アントワーヌは、彼女の憤然としたようすを見て、思わず微笑せずにはいられなかった。彼女は、アントワーヌを説得しようと、病院の仕事がどんなであるか、メーゾン・ラフィットでのみんなの生活がどんなであるかを滔々《とうとう》と説明しだした……

（一九一四年九月中旬、マルヌ戦がすむやいなや、何かお役に立ちたいと思っていたフォンタナン夫人は、メーゾン・ラフィットに病院を作ることを思いたった。サン・ジェルマンの森の入口のところに、夫人は自分の父の家を持っていた。その家を貸しておいたイギリス人の家族は、戦争がはじまると同時にフランスを引きあげてしまった。そうしたわけで、夫人の家のものである古い別荘《シャレー》が、自由に使えることになったのだった。だが、それはせますぎるうえ、駅からはなれすぎていて、物資を手に入れるためにも不便だった。そのとき、フォンタナン夫人は、自分の家にくらべてずっと大きく、それに、《土地》ともずっと近いチボー氏の家を貸してもらえまいかと、アントワーヌに聞いてみることを思いついた。もちろん、アントワーヌに否やはなかった。そして彼は、パリに残してきたジゼールあてに、ふたりの女中をつれて、別荘の模様変えをするため、フォンタナン夫人の手だすけをしに行くようにと書いてやった。フォンタナン夫人のほうでも、姪のニコル・エッケに助けてもらえることになっていた。ニコルは、外科医エッケの妻であり、看護婦免状の所有者だった。すでに《戦傷者救済協会》の監督の下に、たちまちのうちに運営委員会ができていた。そして、六週間の後には、この大いそぎで整備されたチボー家の別荘は衛生事務局の書類のうえに《第七病院》として登録され、最初の回復期患者何名かを受け入れるだけの態勢がととのっていた。以来、フォンタナン夫人とニコルとの切りまわしている《第七病院》は、ただの一日も患者のいない日がなかった。）

アントワーヌは、すでにたびたびの手紙によって、これらすべてのことを知っていた。彼としては、自分の父の家が、こうして何かの役に立っていることをうれしく思っていた。とりわけ、パリではなんの仕事もないだろうと案じていたジゼールが、フォンタナン家でそれほど大歓迎をうけているのをうれしく思った。だが実のところ、彼は《第七病院》の仕事についても、また、かつてチボー家の料理女だったたくましいクロティルドが切りまわしていて、奇怪なファランステール（十九世紀初頭のフランス経済学者フーリエによってこころみられた初期共産主義的共同生活団体）の観を呈するにいたっているフォンタナン家の別荘についても、たいして興味を持っていなかった。（そこにはいま、ニコルとジゼールが暮らしていて、さらに切断手術をうけたあとのダニエルもころがりこみ、スイスから帰って来たジェンニーも、子供をかかえてやってきていた。）そうしたわけで、彼はジゼールのおしゃべりに、ものめずらしそうに耳をかたむけていた。彼の目には、これまでたいして考えてもみなかったこうした小さな人間集団の生活が、とつぜん現実のものとして思い浮かんでいた。

「あたしたちの中でも、やっぱりジェンニーさんがいちばんたいへんですわ」と、病院のことばかり考えつづけていたジゼールが説明した。「ジェンニーさんは、ジャン・ポールの世話だけでなく、シーツ、下着のほうの指図までしておいでですの。このこと、おわかりでしょう？　洗濯と、火のしかけ、つくろい、会計、それにベッドが三十八、時によると四十、四十五もはいる病院に必要なだけのシーツや下着類を整頓し、それを毎日分配しなければならないんですもの！　夕方になると、へとへとになって帰って見えますわ。午後はずっと病院ですけど、午前中だけはジャン・ポールの世話をするためずっと別荘のほう……フォンタナン夫人は、患者たちのところに寝起きしておいでなんですの。ほら、あの馬屋の上に部屋を一つつくらせて」

アントワーヌは、ジゼールの口から（あの慎みぶかい《おばさん》の姪の口から）ジェンニーのこと、またそのジェンニーが母になったことがさもなんでもないことのように話されるのを聞いてかなりふしぎな思いをした。《そうだ》と、彼は思った。《あれからもう三年になる……そして、昔はけしからんと思っていたことでも、こうしてあらゆるものの価値がひっくりかえってしまった今日、わけなくゆるされることになっているんだ……》

「しかも、せっかくパリまで来て、ジャン・ポールに会わずにお帰りになるなんて！」と、ジゼールは、とがめだてするようなちょうしでためいきをついた。「ジェンニーさん、とてもあきらめきれないにきまってますわ」

「何も知らせずにおいたらいいのさ……」

「だめ」と、ジゼールは、急に顔を伏せると、奇怪と思われるほどのまじめさで言った。「ジェンニーさんに、あたし何ひとつ隠しだてなんかしないんですのよ」

アントワーヌは、びっくりしたように彼女をみつめた。そして、それ以上しいてとは言わなかった。

「でも、たしかに休暇をおのばしになれる？」

「やってみよう」

「どういう方法で？」

アントワーヌは、嘘をつづけた。

「リュメルにたのんで、そのほうの係の軍の事務部に電話をかけてもらうんだ……」

「リュメルさん……」と、ジゼールは、考えこんだように言った……

「どっちにしても、きょう、やつをたずねてみようと思っていたんだ。ずいぶん久しく会わないから……ぼくたちのため、いろいろ尽くしてくれた礼を言おうと思ってね」

きょうはじめて、ジャックの死にちなんだ言葉が口にされたのだった。ジゼールの顔はとつぜん緊張をしめした。そして、顔全体の浅黒さが、さらに一段とその色をふかめた。

（一九一四年の秋、ジゼールはジャックの死を長いこと信じまいとしつづけていた。ジャックからいつまでもたよりのないこと、ジュネーヴにいるジャックの友人たちからのゆくえ不明の知らせ、ジェンニーやアントワーヌの確信、彼女は、そうしたことをぜんぜん問題にしていなかった。《戦争をいいしおに、また逃げだしたにちがいない》と、彼女は執拗に考えつづけていた。《また帰ってくるにちがいない》彼女は、そうやって彼の帰ってくる日を、ヌーヴェーヌ（九日の願かけ）をかけながら、不安な気持ちで待っていた。ちょうどそのころ、彼女はジェンニーと仲よくなったのだった。その仲よしは、初めはかなり不純な打算に出たものだった。《ジャックが帰って来てみると、あたしたちはお友だちになっている。そうすれば、あたしは、第三者として、ふたりの生活の中にはいることができるだろう。そして、ジャックは、あの人のいなかったあいだ、あたしがジェンニーさんにやさしくしてあげたことをきっとうれしく思ってくれるにちがいない……》ところが、リュメルの口から、飛行機が火だるまになって墜落したことを知らされたとき、そして公報の写しを読んだとき、彼女はいやでも事実を認めずにはいられなかった。それでいながら、心の中では、何か漠然とした直観によって、それが確実な真実でないことを信じていた。そしていまもなお、思いだしたように《そんなことがわかるものか？……》と心の中に思っていた。）

　アントワーヌと目を合わせたくないと思った彼女は、ふたたび顔を伏せてしまった。そして、心の中のあらゆることがとつぜんゆらぎだしたとでもいったように、しばらくのあいだ身動きせずに黙りこみ、涙をおさえようとつとめていた。やがて彼女は、わっと泣きだしそうになるのをこらえようとして、あわただしく立ちあがったと思うと、台所のほうへ出て行った。

《ずいぶんずっしりしたからだになったな》と、アントワーヌは思った。彼女のあとを目で追いながら、そして、われにもあらず彼女の心をかきみだしたことにいささか当惑しながら。《あの腰つき！……上体にしても、からだ全体にしても、年より十もふけてみえるほどだ。三十を越してでもしたようだな！》

彼は、ポケットから首飾りを取りだした。桜んぼのたねほどの、暗いねずみ色した本物の麝香玉《じゃこう》の小さな粒が、竜涎香《りゅうぜんこう》の玉とたがいちがいに編まれていた。その竜涎香の形といい、色といい、それはすももにそっくりで、その半透明な暗い黄色は、熟しすぎたすももといったようだった。アントワーヌは、その首飾りを機械的に指の中でもてあそんでいた。そして、竜涎香の玉はぬくみをおび、まるで、ついいましがた、ラシェルの首からはずされたばかりとでもいうように思われた……

いちごの皿を持ったジゼールの姿があらわれたとき、その顔に、つらい悲しみの色のまだはっきりしめされているのを見たアントワーヌは、はっと胸をつかれた。彼女が、そのいちごを食卓の上におこうとしたとき、アントワーヌは、銀の腕輪をつけた彼女の褐色の手首を、何も言わずにそっと愛撫した。彼女ははっと身をふるわせた。そして、ぴくりとまゆげが動いた。……ジゼールは、彼を見ないようにしていた。彼女は、自分の席に腰をおろした。そして、またもや新しい涙が二つ、まぶたのふちに生まれていた。彼女は、いまその悲しみを隠そうともせずに、何かあいまいな微笑を浮かべながら、アントワーヌのほうをふり向いた。そして、そのまま、しばらくのあいだ何も言わずにいた。

「あたしばかだわね」と、やがて彼女はためいきとともに言った。そして、おとなしく、いちごに砂糖をかけはじめた。だが、ほとんどすぐに、砂糖の壺を下におくと、彼女はいらいらしたようすでからだを起こした。「あたし、何をいちばん苦しく思っているかおわかりになって？　それは、自分のまわりで、誰ひとりあの人の名まえを口にしないということ……ジェンニーさんは、いつもあの人のことを思っているんですの。そのことがあたしにはわかるし、感じられもするんですの。ジャン・ポールがジャックさんの子供であればこそ、それであのかたあんなにかわいがっているんですわ……そして、ジャックさんは、いつもあたしたちふたりのあいだにいるんですの。あたしがいま、あのかたにたいして持っている愛情にしても、それはジャックさんの思い出があるからのことなんですの。そして、あのかたにしても、それでなければ、なんであたしにやさしくしてくれたり、あたしを姉さんのようにあつかってくれるでしょう？　ところが、あのかた、どんなことがあっても、ジャックさんのことを口に出さないんですの！　まるで、秘密とでもいったように。まるであたしたちをしめあげ、あたしたちを結びつけていながら、しかも、それにふれたことを何ひとつにおわせたりできない秘密とでもいったように！　そして、あたしは、そのために息ができないでいるんですの！……隠さず言ってしまいますわ」と、彼女はあえぐように言葉をつづけた。「ジェンニーさんは気位が高いの。それに、とても気むずかしや！　あのかたは……あたしには、いまあのかたというものがわかっていますの！……あたし、あのかたが好き。あのかたのため、ジャン・ポールのためなら、命だってあげますわ！　でも、あたしには、あのかたが、あんなに打ちとけてくれないのが苦しいんですの。それにあんなに……さあ、なんと言ったらいいかしら……なにしろとてもとても苦しいの……あのかた、ジャックさんが、あのかた以外の誰からもわかっていてもらえなかったと思いこんで、それで苦しんでいるんだと思いますわ。ジャックさんをわかっていたのは自分ひとりだと思って！　そして、気ちがいみたいに、自分だけがわかっていた人になりたがっているんですの！　だから、誰ともジャックさんのことを話そうとしないんですの……とりわけ、あたしと！……でも、でも……」

いま、彼女の頬の上には、重い涙のしずくが流れていた。それでいて、急にふけこんだ顔のうえには、もはやなんら悲しそうな表情も見えないで、ただ情熱と、怒りと、それにアントワーヌにはなんと解釈していいかわからない、殺気だった表情がしめされていた。アントワーヌは考えていた。彼は驚いてしまっていた。ジェンニーとジゼールが、それほど親しくなっていようなどとは、ぜんぜん考えてさえもいなかった。

「あのかたには、……あたしがジャックさんを好きなことが、わかっていなかったように思われますの」と、ジゼールは、低い声で、だが、うわずったままの声で言った。

「あたし、ジャックさんのことを、あのかたと、すっかり打ちあけて話してみたいんですの！　何ひとつ、隠さなければならないことなんかないんですもの……何から何までわからせたいの！　昔、あたしがあのかたをきらいだったということ——そうよ、とてもとてもきらいだったわ！——ところがジャックさんが死んだいまとなっては、逆に、ジャックさんを好きなあたしの気持ちが……」（彼女の目は、たちまち磁気を帯びでもしたように輝きだした。）「それがそのまま、あのかたに、またあのかたとジャックさんのあいだの子供さんに向かってそそがれていることをわからせてあげたいと思いますの！」

しばらくまえから、アントワーヌはあやうく彼女の言葉に耳をかすことさえ忘れていた。そしてただ、褐色のまぶたと、長いまつげの動きにだけ気をとられていた。それは、あるいはゆるやかにあげられ、あるいはゆるやかにさげられながら、さながら時をおいて明滅する灯台の火とでもいったように、あるいは彼女のひとみの輝きをしめし、あるいはそれを隠していたのだった。

彼はと言えば、食卓の上にひじをついていた。そして、手の上に頬をあずけながら、うっとりと、麝香《じやこう》のにおいのしみこんだ指先をかいでいた。

「あたしにとって、家族といったらあの家だけしかありませんの！」と、ジゼールは、つとめて落ちつきをよそおいながら言葉をつづけた。「ジェンニーさんは、いつまでもあたしをおいてくれるって約束してくれましたわ……」

《もしおれが申しでたら、おれと暮らしてくれるだろうか？》と、アントワーヌは心の中で考えた。

「……そうなんですの。そう約束してくれましたの。それであたし、生きてゆく気にもなれ、将来に立ちむかう気にもなれたんですの。もうこの世の中で、何ひとつたいせつなものなんかありはしない。あったとしたら、それはただあのジェンニーさん――それにあの子供さんのこと！」

《とても承知しないだろうな》と、アントワーヌは思った。それにしても、そうした彼女の声のふるえに何かちょうしはずれなひびきを聞きつけた彼は、そこに、なにかしら本心がしめされているように思ってはっとした。《そうだ》と、彼は考えた。《あのふたりの女の気持ち――ふたりのやもめがたがいにむつみあっていることの中には、いろいろ悩みがあってのことなんだ！……親しみ、それもたしかにあるだろう。だが、たしかに嫉妬の気持ちもひそんでいる。それにおそらく、ちょっと危険な分量の憎悪の気持ちさえひそんでいるにちがいない！……そして、それらが強力な化合物となって、はげしい愛情らしく見えているんだ……》

ジゼールは語りつづけていた。それは、彼女にとって、自分の気持ちを軽めてくれること、彼女としておさえようにもおさえられないひとつの愚痴にほかならなかった。

「ジェンニーさんて、とても変わったかたですわ……お上品で、精力的で……とてもすてき！　でも、どうしてほかの人たちにたいしてあんなにきびしいのかしら！　たとえば、ダニエルさんにたいしてだって、あのかたとてもきびしくって、それにいじわるでさえあるの……あたしにだって、あのかた……もちろんそれだけの権利はおありになるわ。あのかたにくらべれば、とるにもたりないあたしですもの！　でも、いつもあのかたのほうが正しいとはきまっていませんわ。あのかた、目が見えなくなってしまうんですの。自分だけしか信じようとしないで、ほかの人の考えなんか認めようとしないんですの……あたしにしても、むりを求めてなんかいないんですのに！　あのかた、ジャン・ポールに、お父さんとおなじ宗教を持たせたくないとお思いになったって、あたしになんの文句もありはしないし、いけないなんて言いませんわ……でも、それならそれで、せめて牧師さんの洗礼だけでも受けさせたらいいと思うんですけど！」彼女は、きびしい眼差しになっていた。彼女は、かつて

《おばさん》がしていたように、突きでたひたいを強情らしくゆすっていた。そして、唇をきっと結んで、いかなる妥協をもゆるさないといったようすだった。「そうお思いにならない？」彼女は、急にアントワーヌのほうを向きなおって叫んだ。「あの子をプロテスタントになさるにしても、それはあのかたのご随意ですわ！　でも、ジャックさんの息子を、まるで犬みたいに育ててほしいとは思いませんの！」

アントワーヌは、ちょっとあいまいな身ぶりをして見せた。

「あなたは、あの子をご存じないのよ」と、ジゼールは言葉をつづけた。「とても激しい気性なんだから、たしかに信仰が必要ですわ！」そう言いながらためいきをついた。そして、たちまち、打ってかわった苦しそうなちょうしで言葉をつづけた。「ジャックさんそっくり！　ジャックさんに信仰がありさえしたら、何もおこらずにすんだでしょうに！……」彼女の表情は、またもやおどろくべき早さで変わり、たちまちやさしくなると同時に、その目は、うれしそうな微笑とともに次第に輝きだした。

「その子供、とてもジャックさんに似ていますの！　濃い栗色の髪もジャックさんそっくり！　目だとか、手だとかも、ジャックさんそっくり！……それに、わずか三つで、とてもとてもいじっぱり！　すねているかと思うと、とても甘えん坊になったりして……」そう言う彼女の声の中には、もはや恨みがましさのかげも見られなかった。彼女はほがらかに笑ってみせた。「あたしのことを、《ジーおばちゃん》と言ってますの！」

「そうか、そんなにいじっぱりかね？」

「ジャックさんそっくり。おこりかたまでそっくりですのよ。ほら、あの、おもてに出ないおこりかた……そして、たったひとりで、お庭のすみへ逃げて行って、なにかしら考えてますの」

「利口かね？」

「とても！　なんでもわかるし、何から何までさとってしまうの。そして、とても感じのするどい子！　こっちの出方がやさしくさえあれば、どんなことでも聞いてくれる。ところが、こっちの出方が荒っぽかったり、しようと思っていたことをとめたりすると、まゆげをあつめ、げんこをにぎって、何の見さかいもなくなるのよ。そんなところもジャックさんそっくり」ジゼールは、しばらく考えこんでいるようだった。「このあいだ、ダニエルさんが、あの子のとてもいい写真をうつしましたわ。ジェンニーさんがお送りしたと思いますけど？」

「いや。写真なんか、一度も送ってよこさなかった」

はっとしたように、ジゼールは彼のほうへ目をあげた。そして、たずねようとするかのように何か言いかけてやめてしまった。そして、

「その写真、ハンドバッグの中に持ってますわ……ごらんになりたい？」

「うん」

ジゼールは、いそいでハンドバッグを取りに行った。そして、中から小形の素人写真を二枚取りだした。去年写したものらしいその一枚には、母親といっしょのジャン・ポールが写っていた。すこし

ふとりかげんのジェンニー、顔は昔にくらべてずっと福々しく、顔だちもなごやかで、どこかいかめしく見えていた。《母親そっくりになるんだな》と、アントワーヌは思った。ジェンニーは、黒い服を身につけていた。そして、石段の上に腰をおろして、ジャン・ポールをだいていた。

明らかに、さらに最近のものと思われる分には、ジャン・ポールだけが写っていた。おどろくほど筋肉の発達した小さなからだをしまのセーターに包んで、あごを引き、ぶっちょうづらを見せながら、こちこちになって立っていた。

アントワーヌは、いつまでもいつまでもこの二枚の写真をながめていた。とりわけ二番めの写真が、ジャックのことを思いださせた。髪のはえかたもそっくり、深くくぼんだ射るような眼差しもそっくり、口のあたりもあごもそっくり——それこそは、チボー家特有のたくましいあごだった。

「ね」と、ジゼールは、立ったまま、アントワーヌの肩に身をかがめながら説明した。「お砂遊びをしていたところですの。ほら、あそこにあるのが鋤《すき》。遊びのじゃまをされたんで、おこって投げだしたところですの。そして、壁のところまであとじさりしていったんですの……」

アントワーヌは、笑いながらジゼールのほうへ顔をあげた。

「それほどかわいいと思ってる？」

ジゼールは、何も答えずに微笑してみせた。そして、おどろくほどの愛情を宿したその明るい微笑こそ、何にもまして多くのことを語っていた。

ちょうど、そのとき、彼女の心を、アントワーヌの気のつかない動揺がおそった。それは、かつてのとほうもない所業のことを思いだすとき、いつもおそわれるところの動揺だった……（思えばいまから二年まえ、いや、それよりもっとまえになる。ジャン・ポールが、まだ乳離れしない、ほんの赤子のころのことだった……ジゼールは彼をだいてやり、ゆすってやり、胸にあてて眠りつかせてやることが何よりいちばん好きだった。そして、乳をふくませているジェンニーを見ると、おそろしい絶望と嫉妬の感情が彼女をおそった。それはある夏の日のこと、ジェンニーから子供をあずけられた彼女は——おりから夕立模様の、いらだつような暑い日だった——向こうみずな誘惑にそそられるままに、子供をつれて自分の部屋に閉じこもった。そして、自分の乳房をあてがってやった。そのとき、子供が、小さな口でむさぼるようにしゃぶりついてきたときの感覚！　その口が、乳を吸い、乳房をかみ、乳房に痛い思いをさせたときの感覚！　それからの幾日か、彼女は皮下出血と同時に、何かはずかしい気持ちに苦しみつづけたものだった……あれが罪というものなのかしら？　彼女は、懺悔室でそのことを低い声で告白し、長いこと自分自身にそのつぐないを課したあとで、やっといくらかおちついた気持ちになれた。そして、二度とくり返そうとしなかった……）

「いつでもこんなふうなのかね！　強情を張りとおすといったような？」と、アントワーヌがたずねた。

「ええ、いつでも！　でもそのときはダニエルさんにじゃまされたからですの。それでも、ダニエルさんの言うことだけはよく聞くんですのよ。きっと、男だからなのね。そう、あの子は、ママが大好き。それにこのわたしのこともとても好き。でも、わたしたちはけっきょく女でしょう。さあ、なんと言ったらいいかしら？　あの子は、もう、自分が男であることの優越感をちゃんと心得ていますの。おかしい？　だって、それはほんとう！　ちょっとしたことのはしばしにもうかがえますの……」

「きみは、いつでもあの子のそばにいるので、それで威厳がきかなくなっているんじゃないかしら。それにくらべると、おじさんといっしょにいることは少ないだろうし……」

「少ないって？　いいえ、わたしたちは病院へ行ってしまうから、おじさんといっしょのときのほうが多いんですのよ！　たいてい毎日、ダニエルさんがおもりです」

「ダニエルが？」

ジゼールは、アントワーヌの肩にのせていた手をひっこめると、そっとからだをはなして、椅子に腰をおろした。

「そうなんですの。でも、なぜ？　びっくりなすった？」

「ダニエルにお守り《ナース》の役がつとまるなんて、ぼくには想像できないな……」

ジゼールには、相手の言うことがわからなかった。彼女は、切断手術後のダニエルしか知っていなかったのだ。

「それがあべこべ。あの子がちょうどいいお相手ですの。メーゾン・ラフィットでは、毎日がとても長いんですもの」

「だって、退役になれたら、また仕事をはじめているんじゃない？」

「病院の？」

「ううん。絵のほうの！」

「絵？　だって、あのかた、絵を描いてるところなんか見たことがないわ……」

「そして、パリへもあまりいかない？」

「いっぺんも。家からも、お庭からさえも出たことがないの」

「それほど歩くのがつらいのかな？」

「そのせいじゃないの、びっこを引いてることなんか、よく気をつけてみなければわからないくらい。とりわけ、新しい器械を使いだしてから……あのかた、お出になりたくないのよ。新聞を読む。ジャン・ポールの見張りをする。遊ばせてやる。家のまわりを歩かせてやる。ときどきは、クロティルドのところへ行って、豆のさやをとったり、くだものの皮をむいてジャムをこしらえてつだいなんかなさるけれど。ときによると、テラスのじゃりならしをすることもおありですわ。でも、それもそうたびたびのことではないの……ああいう性質のかたなのね。静かな、むとんじゃくな、ちょっと眠っているといったような……」

「ダニエルが？」

「そうなのよ」

「昔はぜんぜんそんなふうじゃなかった……ずいぶん悲観してるこったろうな」

「とんでもない！　退屈なんかなさらないらしいわ。なにしろ、ぜったい愚痴をこぼしたりなんかなさらないの。ときどき無愛想になることがあっても――それも、ほかの人たちにたいしてだけ。わたしにたいしてはぜったい――それはみんなが、あのかたをどう扱ったらいいか知らないからなの。ニコルさんなんか、なんでもないことであのかたにいじわるをしたり、いじめたりするんですもの。ジェンニーさんにしたってやり方がへただわ。黙りこんでいたり、よそよそしくしたりして、いやな気持ちにおさせするんですもの……ジェンニーさんはいいかたよ。とてもとてもいいかた。でも、そのよさをどうあらわしていいかをごぞんじないの。人がよろこぶような言葉なりようすなりを、けっして見せようとなさらないの……」

アントワーヌは、もはや何も言い返そうとはしなかった。そして、ジゼールは、いかにもあっけにとられたといったような彼を見ながら、笑いださずにはいられなかった。

「あなたは、ダニエルさんの性質をよくごぞんじないのよ。いつもすこし甘やかされすぎていたかたにちがいないわ……それに、とてもとても怠けもの！」

食事は、とうにすんでしまっていた。ジゼールは、時計を見るなり、さっと立ちあがった。

「テーブルのあとかたづけをしなくては、そして、わたし出かけなくては」

ジゼールは、彼の前に立ったまま、やさしい目つきで彼をながめていた。それは、病人を、誰もいない家にひとりで残していくことが、なんともたまらないというようだった。彼女は、何か言いかけてためらった。やさしい、はにかんだような微笑が目に浮かび、それがやがて唇にまでおよんだ。

「きょうの夕方、お迎えに来てはいけない？　こんなところにひとりでいらっしゃるより、メーゾン・ラフィットにいってお泊まりになったら？」

アントワーヌは、かぶりを振った。

「なにしろ今夜はだめだ。きょうはリュメルに会わなければならない。あしたはフィリップ博士に会わなければ。それに、下の部屋に行ってかたづけるものやら、文献さがしをしなければ……」

アントワーヌは考えていた。ル・ムースキエには、金曜の晩に帰ればいい。メーゾン・ラフィットへ行って二日すごしたところで、なんのさしつかえもないわけだった。

「だが、向こうへ行って、いったいどこへ泊まるんだね？」

ジゼールは、答えるよりさきに、急にからだをこごめたと思うと、うれしそうにキスをした。

「どこ？　もちろん別荘だわ！　使っていない部屋が一つあるの」

アントワーヌは、ジャン・ポールの写真を手にしていた。そして、ときどきそれをながめていた。

「よかろう。では、延期の手続きをしよう……では、あしたの夕方……」アントワーヌは、写真を指にはさんで高くかざした。「もらっておいていいだろうな？」

五

ジゼールの出て行ったあとにひとり残ったアントワーヌからの電話がかかったとき、リュメルは、おりからの日曜にもかかわらず、ケー・ドルセー（フランスの外務省）の事務室にいた。リュメルは、午後は一時間の暇もないことをわびたあとで、いっしょに晩飯をしようとさそった。

アントワーヌは、外務省に八時に着いた。リュメルは下向きに電灯のともっている階段の下で待っていた。こうしたお役所ふうな薄くらがりの中、役所がひけての小役人たちや、おそくなって誰かに会いに来た人たちのひっそりした行き来を見ていると、そこには、何かしら異様な、人目をおそれるようなものがあった。

「マクシムへ行こう。ちょっと病院生活の気分を変えてあげられるだろうと思うから」リュメルは、前庭に待っていた小旗のついた自動車へ案内しながら、やさしくいたわるような微笑を浮かべて言った。

「あんまりはえないお客さまなんだぜ」と、アントワーヌはざっくばらんに打ちあけた。「晩は、牛乳だけしか飲まないことにしているんだから」

「だが、あそこには、びんに冷やしたすばらしいやつがある」と、リュメルは言った。彼は、マクシムで食事をすることにきめていた。

アントワーヌは、承知の意味でうなずいて見せた。きょう一日のファイル・ケースや書棚の中のさがし物で、彼はすっかり疲れていた。そのあとでの今夜のおしゃべり、それを思うと、いささかぞっとさせられていた。彼はとりあえず、話をするのが苦しいこと、声帯をいたわらなければならないことをリュメルにつたえた。

「おしゃべりのぼくには、それが何よりありがたいのさ」と、リュメルが叫んだ。彼は、アントワーヌの引きつれた顔、うつろな、しめころされたような声から受けるいやな印象を、なんとか外へあらわすまいとつとめて陽気をよそおっていた。

明るい灯《ひ》に照らしだされた料亭の中にはいったとき、アントワーヌのやせた顔色の悪さは、さらにはっきり感じられた。だがからだのことについては、あまり立ち入ってたずねることをさけていた。そして、とりとめのないことをたずねたあとで、たちまち話題をほかへ転じた。

「ポタージュはやめにしよう。それより牡蠣《かき》がいい。季節おくれになりかけてるが、まだまだ相当食えるから……ぼくは、たびたびここへ来るんだ」

「ぼくもたびたびやって来たっけ」と、つぶやくようにアントワーヌが言った。彼は、ゆっくり部屋の中を見まわしてから、注文を待ちながら立っている老給仕頭に目をそそいだ。「おい、ジャン、おれがわからないかい?」

「これはこれは、旦那さま、よく存じあげております」と、相手は、ありきたりの微笑とともに会釈をした。

《嘘をついてやがる》と。アントワーヌは思った。《昔はいつも先生だった……》

「役所からもとても近いし」と、リュメルは言った。「それに、警報の出た晩なんかとても便利だ。ちょっと往来を一つまたげば、すぐ海軍省の防空壕があるんだ」

アントワーヌは、リュメルが献立を考えているあいだじゅう、じっと彼をながめていた。リュメル自身も変わってしまっていた。そのライオンのような顔だちも、いまぶくぶくにふくれていた。たてがみを思わせる髪も、うっすら白くなっていた。目のまわりには老いを思わせる黄ばんだ皮膚に、無数な小じわが縦横にきざまれていた。眼差しだけは、青く、そして生き生きしていたが、下まぶたのかげには、何かできものののあとの見える頬骨にかけて、薄黒い贅肉がたれていた。

「デザートはあとで考えることにしよう」と、リュメルは、給仕頭に献立表を返しながら、疲れたように言った。彼は、顔をあお向け、しばらくのあいだ、顔にぴったり手をあてながら、指で、燃えるようなまぶたの上をおしていた。「ごらんのとおり、動員このかた、一日も休暇を取らないんだ。精も根も尽きはてたかたちだ」

それは、よそ目にもそう見えていた。積もりつもった疲れは、神経質なリュメルの場合、極端ないらだたしさとなってあらわれていた。かつてアントワーヌが別れたときの一九一四年時代のリュメルは、落ちつきもあり、自信もあり、いささか思いあがったようすで、たとい控えめにしようとつとめながらも、あらゆる問題について好んでしゃべりまくっていたものだった。ところが、四年にわたる過労の結果は、いまや、目をしばたたき、とつぜんけいれん的に笑いだすひとりの男、絶えず身ぶりをしている男、なんの連絡もなく一つの題目から別の題目に飛び移り、充血したその顔は、病的な興奮からたちまち暗い消沈にうつるといったようなひとりの男を見せていた。しかも、自分では、かつてのようにめかそうとつとめていた。疲労を打ちあけ、ぐったりとしたところを見せていながら、ときどきちらりと立ちなおりを見せていた。そして、ちょっと顔をあお向けると、鷹揚な手つきで髪をかきあげ、かつての元気がもどってきたとでもいうような微笑をつくっていた。

アントワーヌは、ジャックの死についていろいろ調べてくれたこと、また、ジェンニーがスイスへ行こうとしていろいろとりはからってもらった礼を言おうとした。ところがリュメルは、はげしくそれをおしとどめた。

「あたりまえのことさ！　そんな話はやめてもらおう！……」そして、軽々しく「きれいな奥さんだったな……とてもきれいな奥さんだったな……」ともらした。

アントワーヌは《あんまり社交家すぎて、しばしばばかになるというやつなんだな》と思った。

リュメルは、アントワーヌをおしとどめておいてから、そのままおしゃべりをつづけていた。彼は、アントワーヌがその件について知っていないとでもいったように、自分の取った手続きについていろいろ述べたてはじめた。彼は何から何まで、驚くほど明確に記憶していた。彼は、いささかのよどみもなく、仲に立ってくれた人々の名や、日付をあげた。

「なんともおきのどくな最期だった！」と、彼はためいきのように話を結んだ。「おや、牛乳を飲まない？　ぬるくなるぜ……」彼は、アントワーヌのほうへ、ためらうような眼差しを投げた。それから杯に口をつけ、ねこのひげのようにつっ立ったひげをふいてから、またもや嘆息するようなちょうしで「そうだった、なんともおきのどくな最期だった……きみのことも考えたんだ……だが、いろいろな事情……きみの思想……名誉あるお宅の家名などから考えて……こうも考えられると思うんだ

——少なくともお家のためには——ああした最期は……けっきょくむしろ……しあわせだったのではないだろうかって」

アントワーヌは、何も答えずにまゆをよせた。彼は、リュメルの言葉にはげしく気色《けしき》を損じていた。それでいながら、彼は、ジャックの最期のことを話されたとき、そうした考えこそ、彼自身まず思ったことだったのを認めないではいられなかった。そうだった。彼はたしかにそう思った。だが、きょうの彼はちがっていた。そして、かつてそう思ったことを思いだして、胸刺されるように恥ずかしく思った。戦争になってからの最近の何年、また病院の長い不眠の生活を通じてのいろいろな反省、それは、かつての彼の判断の大部分にたいして、大きな混乱をおこさせていたのだった。

彼には、そうした個人的な問題について、リュメルと話そうといった気持ちは少しもなかった。しかも、よりによってこんなところで。かつてアンヌとたびたび食事に来たことのあるこの店、彼はここにはいって来たときから、気まずい思いのさらに深まるのを感じていた。戦争以来四十四カ月、こうした豪華なレストランに、こうも大ぜいの客が来ているのを見ながら、彼はむじゃきな驚きに打たれていた。テーブルというテーブルが、かつての盛りどきの晩とおなじように客でいっぱいだった。なるほど婦人たちはまえほど多くなかったかもしれない。それにまた、そのはでさかげんも。婦人たちの多くのものは、看護婦といったようだった。男たちの大部分は軍人だった。彼らは、ぴかぴかしたバンドで胴をしめつけ、色さまざまな略綬のついた軍服を着て、いばりかえっているのだった。現地から休暇でかえって来ている幾人かの士官。そのほかはもっぱらパリ管区か大本営付きの将校たち。

飛行将校が大ぜい。がやがやしながら、みんなからちやほやされているといった連中。その沈痛な目はいささか気ちがいじみていて、飲まないうちからはやくも酔ってでもいるようだった。イタリア、ベルギー、ルーマニア、日本などの軍服の、色とりどりな陳列といった感じ。それに海軍士官が何人か。だが、それはもっぱらイギリス人で、――ひろく襟をあけたカーキ色の上着、ぱりっとした純白のシャツ――シャンパンを抜いて晩食を食いに来ているといった連中だった。

「回復期が終わりかけたら、忘れずに知らせてよこすんだな」と、親切にリュメルが言ってくれた。「また戦線へ送り返されたりするといけないから。もうご奉公は十二分にしたんだから……」

アントワーヌは、相手の言葉を訂正したかった。すなわち、一九一七年の冬、最初の負傷がなおったものと認められてから彼は、後方の病院付きにふり当てられていたからだった。だが、リュメルはそのまま話しつづけた。

「ぼくはだいたい、戦争の終わるまで本省にいられそうだ。クレマンソーが総理になったときには、あやうくロンドンにやられかけた。ぼくにつごうのいいポワンカレが大統領でなかったら、とりわけ、ぼくがすっかり癖をのみこんでいて、そしてこのぼくがいなければどうにもならないベルトゥロー氏(当時の外務大臣)が反対してくれなかったら、ぼくはてっきりイギリスにやられていたにちがいないんだ。もちろん、こうした折のあっちでの生活、それも興味がないとは言われない。だが、もしそうなってでもいたとしたら、いまのように、事の中心にはいられなかった。これはなにしろ、とても愉快なことなんだ！」

「それは、このぼくにもよくわかるさ……少なくとも、きみには事の動きがわかり、……そうだ、これから先の見とおしが少しはつかめる特権階級のひとりだからな！」

「いや」と、リュメルは相手をさえぎった。「わかるって？　とんでもない。見とおしの点にかけてはさらにだめだ……いくら手のうちがわかっていても、はたしてどんなことがおこってくるかわかったものではないんだからな……あとになって、やっとわかるのが関の山だ……こんにちの政治家は、たといクレマンソーのように、独裁的、圧制的な者にしたって、けっして事を引きまわしているなんて言えやしない。むしろ彼自身のほうが、そのときどきの事態によって引きまわされているんだから……戦時下の政治は、つまり四方八方浸水しかけた船を引きまわしているようなものなんだ。いちばん危険と思われる穴をふさぐため、時に応じての策を考えなければならないんだ。つまり、難船気分の中で暮らしていっているだけなんだ。せめてときどき、いったいどこまで来ているかをたしかめ、地図を見て、だいたいの方向を命令するのが関の山だ……クレマンソーにしたって、ほかの連中と変わりはない。そのときどきの形勢まかせで、できるときには、それを利用するというにすぎない。ぼくの目下の役めがら、かなり身近から彼を見ているわけなんだが。なにしろ不思議な人物さ……」彼はちょっと考えこんでいるようすだった。そして、慎重なためらいを見せながら言葉をつづけた。「つまりクレマンソーは、生まれつきの懐疑主義と……反省のうえに立った悲観主義と……思いきった楽観主義と……この三つのものの矛盾しあった混和物だ。ただ、その調和の度合いが絶妙なんだ！」彼は、われながらそうした思いつきをうれしく思うといったように、まぶたのはしまで微笑を浮かべた。そして、自分の発見にかかるそうした表現の味をたのしんでいるのだった。だが、じつを言うと、それは、この数カ月、彼がいつも新しい相手を前にしてくり返していたことの蒸し返しにすぎなかった。「それに」と、彼は言葉をつづけた。「この偉大な懐疑派先生、じつはきわめて単純な信念で動いているんだ。彼は、クレマンソーの祖国は、ぜったいまける道理がないと確信している。なにしろえらい鼻息だ！　しかもいまなお——じつは、大きな声では言われないが、ぼくの見るところ、たいていの熱心な楽観主義者どもでも、その信念はだいぶぐらつきはじめているんだが——いいかね、わが老愛国者の勝利への確信たるや、微動だにもしてないんだ！　ぜったい。まるで、天からのおぼしめしで、わがフランスの大義名分に、光栄ある勝利がもたらされないはずがないとでもいったようにだ！」

アントワーヌは、軽くせきこみながら——おりから、近くのテーブルでは、ひとりのイギリスの軍医が葉巻に火をつけたところだった——何か言おうとした。だが、その声はとても低く、そのうえ口にあてているナプキンに消されて、ほんのわずかの言葉だけしか聞きとれなかった。

「アメリカの援助……ウィルソン……」

リュメルは、聞こえたことにしておいたほうがかんたんだと考えた。さらに彼は、さも興味を持っているかのようなふりさえして見せた。

「ふふん」と、彼は、夢みるような手ぶりで頬をなでながら言った。「そうなんだ。ウィルソン大統領というやつ、このわれわれの目から見るとね……いまやフランスでも、イギリスでも、このアメリカ教授の気まぐれにたいして、いや応なしに絶大な尊敬を払わなければならなくなっている。ところがだ、われわれけっして、彼について買いかぶってはいないんだ。とんだ愚物だ。相対的な考え方というやつを忘れていやがる。しかも、それが政治家だとさ！　神秘めいた想像力で、いろいろなものをよせあつめ、それで作った夢の世界に住んでいるんだ……そんな清教徒《ピューリタン》の単純きわまる道徳論で、ヨーロッパ従来の複雑な機構をひっかきまわしに来てはいただきたくない！」

アントワーヌは、言葉をはさみたいと思った。だが、声の状態がゆるさなかった。彼にとっては、ウィルソンこそ、今日の偉大な責任者たちの中で、ただひとり、戦争の向こうまでをもながめている人、ただひとり、世界の将来を考えることのできる人なのだった。彼はただ、はげしい反対の気持ちだけをようすでしめした。

リュメルは、ちゃかすとでもいったように微笑してみせた。「え、じょうだんじゃない。まさか、ウィルソン大統領のでたらめに賛成しているわけでもないんだろう！　ああした考え、それは大西洋の向こう、半未開国の子供たちの国では大まじめなものとして通用するかもしれない。ところがあいにく、ここは歴史も古いし、物のわきまえも持っているヨーロッパなんだ！　そんな寝言をこのヨーロッパに移そうなんて、その結果は、まさに大乱脈のほかにないんだ！　やれ《公正》、やれ《正義》、やれ《自由》、そんなぎょうぎょうしい花文字で始まる言葉というやつは、用心しすぎて損はないんだ……早い話が、ナポレオン三世治下のフランスでの、例の《鷹揚》政策というやつが、いかなる不幸をもたらしたか！」

リュメルは、腕をのばし、そのそばかすのあるぼってりした手をテーブル・クロースの上においた。そして、さもないしょ話とでもいったように身をかがめて、

「しかも、消息通の言葉によると、ウィルソンというやつ、なかなかもって見かけどおりのおめでたい男ではなさそうなんだ。そして、彼自身、そのいわゆる使命なるものにだまされてなんぞいないらしいんだ……つまり、彼が《勝利なき平和》を主唱するきわめて現実的なねらいは、こうした情勢をうまく利用し、ヨーロッパ大陸をアメリカの保護のもとにおくこと、そして、連合国が、将来世界政局の動きの中で、勝利者たる優越的立場を持つことをさまたげてやるというにあるらしいんだ。ここでちょっと説明をいれると、これはなかなか念のいったおめでたさだ！　というのは、フランス、イギリス両国が、何年もかけてこんな消耗戦に国力を費やし、しかもなんらめぼしい物質的利益にありつかないですますかどうか、それを考えればまさにおめでたいと言わざるを得ないんだ！」

《だが》と、アントワーヌは、心の中で反対していた。《真の平和の確立、永続的な平和の確立、それこそヨーロッパの諸国にとって、戦争のもたらすもっとも大きな物質的な利益なのではあるまいか？》だが、彼は何も口に出しては言わなかった。暑さ、ざわめき、それに、タバコの煙とまじりあった食物のにおいで、彼はますます気分が悪くなっていた。息苦しさは高まるいっぽう。《おれはなんでこんなところにいるんだろう？》彼はいま、自分自身に腹をたてていた。《今夜はとても寝られそうにないぞ！》

リュメルは、そんなことに少しも気がつかなかった。彼は、ウィルソンをやっつけてひとり悦に入

ってでもいるようだった。この数カ月、ケー・ドルセーでは、この人ひとりを向こうにまわして、誰も彼もがはげしい気勢をあげていた。リュメルは、含むところあるらしく哄笑しながら言葉を切った。そして、いばらの上にすわってでもいるかのように、たえず椅子の上でからだをゆすっていた。

「さいわいなことに、りっぱな現実主義者であり、れっきとしたラテン人種であるポワンカレ大統領とクレマンソーは、そうした空想のたわいなさは元より、ウィルソン大統領が胸にたたんでいる誇大妄想的な考えまですっかり見抜いてしまっていた……つまりそれは、利用のしかたいかんによって……うまい利益をもたらすところのものなんだ！　すなわち、目下いちばんたいせつなことは、アメリカから、石油なり、材料なり、飛行機なり、人間なり、できるだけ多くのものをしぼり取ることにある。そのためには、この大だんなにさからわないようにする必要があるんだ。必要とあれば、すすんでお太鼓もたたかなければ。つまり、穏和型の気ちがい相手といったわけだ。事実、今日までのところ、こうした作戦の効果はなかなかよろしい……」リュメルはアントワーヌのほうへ上体をかがめながら、その耳もとにささやいた。「わかるかね？　今年、ピカルディーでイギリス軍が大敗した後、敵の攻撃をうまく食いとめることのできたのも、じつのところ、やつらからちょうだいした二千トンのガソリン、さらに毎月送ってもらっている三十万の軍隊があったおかげなんだ……目下のところ、このままいくよりみちがないんだ。鼻眼鏡をかけたローエングリン先生（ワーグナーのオペラ『ローエングリン』に出て来る白馬の騎士。その騎士を気どったウィルソンへの皮肉）相手に、そのたわいもない気ちがいざたにちょうしを合わせるよりほかにみちがないんだ……そして、どっしりしたアメリカ軍がわがフランスにやってきて、われらの肩がわりをしてくれるとき、われらははじめて息がつけるというわけなんだ。そして、こっちは高みの見物。万事アメリカ軍によろしくおまかせ申すんだ！」

アントワーヌは、ふかく考えこみながら、《ちょっと火を入れるだけにして。青筋《ブルー》のままだぜ！》と注文したトゥルヌドー（ヒレ肉のビーフステーキ）にリュメルがかぶりついているのをながめていた。彼は、発言を求めるとでもいったように手をあげた。

「で……戦争はまだ何年もつづくと思っているのかね」

リュメルは、皿をおしやると、軽くうしろへ身をそらせた。

「何年？　じょうだんじゃない。そんなことは思っていないさ。事によると、思いがけないうまい話がわいてきそうにさえ思われるんだ……」リュメルは、黙って、ちょっとのあいだ自分のつめをながめていた。「なあ、チボー君」彼は、近くにいる人たちに聞かれまいと、ふたたび声を落としながら言葉をつづけた。「ぼくはおぼえている。それはちょうど一九一五年二月のことだった。ある晩、デシャネル（フランスの政治家。一九二〇年フランス大統領となる）がぼくに向かってこう言ったんだ。《この戦争がいつまでつづくか、その経過がどうなるか、当然わしには予測がつかない。わしに言わせると、これは大革命（フランス大革命）時代、それに帝政時代（ナポレオンによる第一次帝政時代）の戦争の再来だな。なるほど休戦状態はみられるかもしれない。だが、終局の平和は、きわめて遠いものと言わざるを得ない！》その時のぼくは、それをほんの気のきいた言葉くらいに聞き流していた。ところが今日では……そうだ、今日のぼくには、その言葉が、まさに予言的な見とおしをもった言葉のように思われてくるんだ」彼は、ちょっと言葉を切ると、しばらく食塩のびんをおもちゃにしていてから話をつづけた。「すなわち、たといあしたにでも連合軍が徹底的な勝利を博し、独墺軍が武器を捨てるようなことになっても、ぼくは、デシャネル氏とおなじように、《それは単なる休戦だ。終局の平和はまだまだ遠い》と考えないではいられないんだ」

リュメルはためいきをついた。そして、アントワーヌをたまらなくいらいらさせた、まるで暗記課題の復習でもしているようなちょうしで、ベルギー侵犯以来の戦争の経過について滔々《とうとう》と述べたてはじめた。そういうふうに、上ずみを取り、はっきりした図式に押しつめていくと、事件の経過はきわめて潑剌たる論理のもとに理解されてくるのだった。それはまるで、将棋をさしてでもいるようだった。こんどの戦争……アントワーヌが、来る日も来る日もそれに従っていた戦争、それはいま、時間的な距離をあたえられ、歴史的な姿の下に、たちまち彼の目の前にしめされた。マルヌ、ソンム、ヴェルダン（第一次欧州大戦における攻防激戦の地）、いままでアントワーヌにとって、ただ具体的な、個人的な、そして凄惨な思い出としてだけ思いだされていたそうした地名も、いまや弁舌さわやかなリュメルの口によって、たちまちその現実性をはぎとられ、何か専門的な報告書の標題、ないし若い人たちのための受験提要の章の見出しとでもいったようなものになっていった。

「そして、いまや一九一八年」と、リュメルは結論した。「アメリカ合衆国の戦争介入は、つまり封鎖網の強化と独墺国家の意気阻喪とを意味しているんだ。論理的に言って、彼らの敗戦はいまや不可避なものになってきている。こうした新事実の前に立った彼らは、いまや二つに一つの態度をきめなければならない。すなわち、手おくれとならないうちに、まがりなりにも平和工作をやるか、それでなければ、アメリカ大部隊の到着以前に、死物狂いの攻撃に出て勝利を得るか。ところでやつらは、その攻撃のほうをえらんだ。それが、すなわち去る三月、ピカルディーでの、すさまじい反復攻撃というやつだった。ところがそれは、もう一歩というところで失敗した。そこで今度は、そのくり返しに出たわけなんだ。これが目下の段階だ。はたして、こんどは成功するだろうか？　するかもしれない。この夏までに、あるいはフランスが和を乞うことになるかもしれない。だが、もしやつらが失敗したら、それこそ最後の切り札なんだ。戦争は負けとなるんだから、われらとしては、アメリカ軍の大挙到着をじっとこのまま待っているか、それともこいつがどうやらフォッシュ将軍の腹らしいが――全戦線にわたって最後の兵力を投入し、アメリカ軍の出動以前に、しっかりした保証を手に入れるか、だ。そこでぼくは言いたいんだ。真の平和、終局の平和はもっと先になるだろう、ただし、休戦状態だけは、たしかにま近にせまっている、とね」

リュメルは、言葉を切らなければならなかった。アントワーヌのなんともはげしいせきこみかたに、今度という今度、気がつかないふりができなかったからだった。

「失敬、失敬……とんだおしゃべりをしてくたびれさせたな……さ、出かけようか」

リュメルは、給仕頭に合図をした。そして、ズボンのポケットから――アメリカ兵のやりかたで、くしゃくしゃな紙幣を何枚かつかみ出すと、いかにも無造作に勘定をすました。

ロワヤル町は暗かった。自動車は、灯火を消して、人道のふちで待っていた。

リュメルは空を仰いでみた。

「晴れてるな。今夜はたしかにやって来そうだ……ぼくは役所に帰ってみる。新しい情報がはいっているかもしれないから。だがそのまえに、きみの家まで送って行こう」

リュメルは、アントワーヌを先に乗らせた車に乗るまえに、その辺にいた新聞売りから夕刊を幾種か買い取った。

「何から何まで嘘八百だ」と、アントワーヌはつぶやいた。

リュメルは、すぐにはそれに答えなかった。彼は、慎重を期して、運転手とのあいだにある中仕切りのガラス戸をしめた。

「ちがいない。何から何まで嘘八百さ！」

リュメルははじめて、さもつっかかるようにアントワーヌのほうを向いて言った。「だって、きみにもわかるだろう？　安心させるような情報を絶えずあたえてやることは、つまり食糧弾薬の補給と同様、国家にとって何よりたいせつなことなんだから」

「それはそうだ。きみたちには、人心安定の責任があるんだから」と皮肉たっぷりにアントワーヌが言った。

リュメルは、親しみをみせて、アントワーヌのひざを軽くたたいた。

「おい、おい、チボー君、じょうだんはよせよ。考えてもみろ。戦時下の政府にいったいなにができると思ってるんだ？　情勢の指導？　そんなことのできないのはわかっていよう。世論の指導？

そうだ、こいつだけはたしかにできる。しかも、できることといったらそれだけなんだ！　そうだ、ぼくらはそれをやってるわけさ。ぼくらのやってる主な仕事は——さ、なんと言うかな？——つまり、事実を調整して伝えることだな……国民には、絶えず終局の勝利への信頼を持たせてやることが必要だ……国民が、軍部であれ、政府であれ、いわゆる指導者なるものの価値にたいして、たといそれがあやまっていようがいなかろうが、希望をかけているその信頼の気持ちを、毎日つなぎとめてやることが必要なんだ……」

「そして、そのためだったら手段をえらばずというわけなのか！」

「もちろんだ！」

「計画された嘘っぱちだな！」

「だが率直なところ、きみはこんなことを言わせていいと思うかね——たとえば——……わが軍のシュトゥットガルトやカルルスルーエの空襲のほうが、ベルタ（第一次欧州大戦当時におけるドイツの長距離砲）がパリに落下させる全砲弾より、ずっと多くの《無数の犠牲者》を出させたなんて？……あるいはまた、われらが非人道的と呼んでいるドイツの潜水艦攻撃にしても、じつのところ敵にとってはぜったい必要な軍事行動であり、一九一六年の攻撃が失敗に終わったうえは、われらの抵抗を粉砕するため、それこそ彼らに残された唯一の希望だったなんて？……それともまた、例のルシタニア（ドイツ潜水艦によって撃沈され、乗客全部溺死した大西洋航路のイギリスの巨船）の撃沈にしても、けっきょくドイツ、オーストリア両国で、ルシタニアに乗っていた女子供の一万倍、二万倍の女子供を、無慈悲な封鎖によって殺したことにたいする、きわめて正当な報復行為であり、きわめてお手やわらかなしかえしだったなんて？……そうなんだ、ほんとうのことなど、めったに口に出すべきではないんだ！　けしからんのは敵であり、連合国はつねに正しいと言わなければ！　何をおいても必要なのは……」

「……だますということ……」

「そうなんだ。戦っている連中に、銃後のからくりを知らせないでおくためだけにも！　そして、銃後の連中には、前線でのおどろくべき事実を知らせないでおくためだけにも！……双方にたいして、あるいは敵国での、あるいは中立国での、外務省同士の楽屋裏工作を知らせずにおくことが必要なんだ！　そうなんだ！　そこで、われらの活動は——というのは、とりもなおさず、軍人にあらざる指導者たちの活動のことだが——その全力を……きみのいわゆるだますというだけでなく、きわめて巧みにだますということに向けるんだ！　これは、必ずしも楽な仕事でないことだけはわかってほしいな！　これには長い経験と、いくら使っても底をつかない当意即妙の精神とが必要なんだ。一種の天才が必要なんだ……そして、ぼくにははっきり言いきれるんだ！　将来はたしかにわれらのものだと！　《効果的な嘘》にかけては、フランスは、四年このかた、じつにめざましい結果をあげているのさ！」

車は、灯《ひ》かげまばらなサン・ジェルマンの大通りとユニヴェルシテ町をゆっくり進んで行ってから、アントワーヌの家の戸口へ来てとまった。ふたりは車からおりた。

「ねえ」と、リュメルは言葉をつづけた。「ぼくはおぼえている、一九一七年四月、あのニヴェル攻勢の一週間のことだった……」その声は、とつぜんふたたび熱をおびてきた。彼は、アントワーヌの腕をつかんで、運転手から遠く離れたところへひっぱっていった。「きみには、それがどうだったかとても想像がつくまい。ぼくたちには、一瞬一瞬、その全貌がわかっていたんだ……——ぼくたちには、あの時のあらゆる誤算がわかっていた……ぼくたちには、毎晩毎晩、わが軍の受けた損害の総数がわかっていた！　わずか四、五日の戦闘で、戦死者四十万、さらに八十万以上の負傷者だった！……そのうえ、それら全滅した連隊で反乱がおこった！……それでいながら真実をつたえ、正しきにしたがって行動することをゆるされなかった。その反乱が全軍にわたってひろがらないうち、なんとしてでも、しゃにむにおさえなければならなかった！　国家にとって、まさに死活の問題だった……何をおいても、命令系統を守り立て、おかしたあやまちをごまかしてやり、威厳を保たせてやることが必要だった……いや、さらにむちゃくちゃなことをやってのけた！　すなわち、そのあやまちを故意におしすすめ、攻撃をくりかえし、さらに多くの師団を修羅場に投げこみ、シュマン・デ・ダームで、またラフォーの前面で、さらに二十万の兵士を犠牲にした……」

「それはまたどうして？」

「わずかの成功をねらってなんだ。それがどれほどお寒い成功であろうと、それによって《お国のための嘘》をつなぎとめようと思ったんだ！　そして、いたるところでぐらつきかけていた信頼を立て直そうと思ったんだ！……運のいいことに、クラーヌの奇襲がうまくあたった。そして、さもはばなしい大勝利のように言いふらしたんだ。それでぼくたちもほっとした！……それから十日すると、政府は司令官たちを首にした。そして、ペタン将軍が任命された……」

疲れきり、もうこれ以上立っていられなかったアントワーヌは、からだを壁にもたせていた。リュメルは彼をささえてやりながら、門のところまでつれて行った。

「そうなんだ」と、リュメルは話しつづけた。「ぼくたちは、まさにほっとしたっていうわけなんだ。だが、はっきり言えるが、ああした四、五週間をもう一度経験しろと言われたら、むしろ命をちぢめたほうがましだと思うな！」彼は、真剣な面持ちだった。「では失敬。きみに会えてうれしかった……」そして、アントワーヌが門をはいって行くのを見ながら「くれぐれもたいせつにしろよ！　どんな医者でもおんなじだ。自分のからだのこととなると、いかなる名医もとかくおろそかにしがちだからな！……」


部屋は、ジゼールがととのえてくれていた。よろい戸もとざされ、カーテンも引かれ、椅子のおおいもすっかり取り去られ、ベッドもちゃんとととのえられていた。まくらもとのテーブルの上には、手の届くところに、コップと冷たい水を入れた水さしがおかれていた。アントワーヌは、こうしたこまごまとした心づかいにははっと心をうたれながら、こう思わずにはいられなかった。《どうやら自分の思っている以上に疲れきっているらしい……》

彼はまず、オゾンの注射をやってみた。それをすますと、安楽椅子に身を投げだし、ものの十分、上体をそらし、首をもたれにあてながら、じっと身動きせずにいた。
彼は、とつぜんわき起こるはげしい敵意とともに、リュメルのことを考えていた。それはたしかに不当なものであり、彼自身驚かずにはいられなかった。《戦争をしている者と……していないやつらと……そうだ、彼らとおれたちと、そこにはぜったいおり合いのつきっこがないんだ！》
いま、呼吸困難は、だんだんおさまりかけていた。彼は立ちあがって体温をはかってみた。三十八度一分……ずいぶんえらい一日だったが、これならたいしたことはない。
ベッドに身を横たえるに先だって、彼はたっぷり吸入することを忘れなかった。
《そうだ》彼は、荒々しくまくらに頭をうずめながら思った。《ぜったい彼らとは妥協できない。動員解除の日がきたら、戦争しなかったやつらは、姿をかくし、身をかくさなければならなくなるだろう。明日のフランス、明日のヨーロッパ、それは、当然のこととして、かつて軍人だった者の手に落ちるだろう。いたるところ、それに参加した者たちは、参加しなかったやつらと手をたずさえることを承知しまい！》
やみは、ずっしり重く感じられた。だが、彼は灯《ひ》をつけようともしなかった。その部屋こそは、かつてチボー氏の部屋だったところであり、老人が、その死に先だって、はげしくたたかい、はげしく苦しんだ部屋だった。アントワーヌは、その時のこまかいふしぶし、老人の最後の入浴のこと、ジャックのこと、痛みどめの注射のこと、臨終にあたってのあらゆる経過のことを思いだした。そして、やみの中に大きく見ひらいている彼の目には、自分のまわりに、大きなマホガニーのベッド、つづれ織の祈禱台、薬品を山と載せた用簞笥などが、ありあり見える思いがした。

六

オゾン注射のおかげで、その晩のできはわるくなかった。だが、アントワーヌは、ほとんど眠らなかったと言ってよかった。明け方近く、彼はようやくほんの少し眠ることができた。だがそのあいだも、彼はとほうもない悪夢に苦しみ、ぐっしょり汗をかいて目をさました。そして、シャツを取り替えなければならなかった。彼は、ふたたび床についても、二度と眠れないことがわかっていたので、むしろいま見たばかりのとほうもない夢のふしぶしを思いだしてみることにした。

《そうだ……いまの夢には、はっきり三つに区別できる物語がある……三つの場面。それでいて、その道具立てはどれもこれもおんなじだ。それはおれの住まいの玄関だった……

おれは最初、そこにレオンといっしょにいた。おれは、たまらない不安を感じていた。というのは、やがておやじが帰って来ることになっていたからだった。おれは、おそろしい羽目に立っていた。おれは、おやじの留守をさいわいに、おやじの持ち物全部をわが手に入れ、家の中のいっさいがっさいひっくり返してしまっていた。しかもおやじは、もうじき帰ってこようとしている。まさに現場をおさえられようとしていた。それはおそろしいことにちがいなかった。おれは、どうしたら爆発をふせげるだろうと考えながら、玄関の中を歩きまわっていた。おれには逃げだすことができなかった。どうしてか？　それは、やがて帰って来るジゼールを待っていたからのことだった……レオンも、おれと同様気ちがいじみて、入口のドアに頬をあて、外のようすをうかがっていた。おれはいまでも思いだす、恐怖に大きく見ひらかれた、まのぬけたような彼の目を。彼は、ふとおれのほうをふり向いてこう言った。〈奥さまにお知らせいたしましょうか？〉

これが第一の場面だった。つぎに、おやじは、とつぜんおれの前、玄関の中央につっ立っていた。フロックコートに身をつつみ、黒い喪章のついた（シャール氏のそれとおなじような）シルクハットを頭にのせ、葬式に行っての帰りだった。誰の葬式だったろうか？　彼のそばには、ゆかの上に新しいスーツケースがおかれていた（おととい、ここへ来る旅行中、おれの持ってきたようなやつだった）。レオンは姿を消してしまっていた。おやじは、せきこんだ、もったいぶったようすでポケットの中をさがしていた。そして、おれの姿が目にとまると、こう言った。——〈ああ、おまえだったのか？……おばさんはいないのかね？〉それから、さらにこう言った。——〈いずれ話して聞かせよう。わしは、とてもきれいなほうぼうの国々を見物してきた……〉（いつもそうしたときにするように、父親らしい、おごそかなちょうしで言ったのだった。）おれは、口がかさかさして、何も言うことができなかった。おれは、まるで、何かわるさをして、しかられはしないだろうかとおびえている子供のような気持ちだった。〈ここまであがって来ていながら、おやじは、階段のようすの変わっているのにどうして気がつかなかったのだろう？　ステインド・グラスのなくなったことにも？　それに敷物の新しくなったことにも？〉つづいて、おれは、おびえながらこう思った。〈どうしたらふたりの部屋にはいらせないようにできるかしら。どうしたらベッドを見せないようにできるかしら？……〉それから先はおぼえていない。そこでぷっつり切れたらしい……

とにかく——そして、これが第三の場面だった——おれは、元とおなじ場所につっ立っているおやじを思いだす。だがこんどは、上靴をはき、例の古い部屋着を着ていた。例によってふきげんらしいようすだった。思いだしたように、小さなあごひげをひねっていた。そして、カラーにはさまれていた首を突きだそうとしていた。それから、例の冷たい小さな笑いを浮かべて、おれに向かってこう言った。——〈おまえ、おれの眼鏡をどこへおいたかね？〉おやじの言った眼鏡はべっこうぶちのやつで、おれはそれをおやじの机の上に見つけて、おやじの衣類そのほかといっしょに、貧民院の童貞さんにやってしまっていたのだった……それを聞くと、おやじはえらくおこりだした。彼は、どなり立てながらおれのほうへ向かってきた。——〈では、株券は？　おれの株券をどうした？〉おれは、どもりながら聞きかえした。——〈株券って？〉おれは、ぐっしょり汗をかいていた。おれは汗をふいていた。そして、汗をふきながら、自分が耳を澄ましていたのをおぼえている。おれは、いまにもエレヴェーターのきしみが聞こえ、ジゼールが〈看護婦姿のジゼールが。というのは、ちょうど彼女が病院から帰って来る時刻だったから〉姿をあらわすのを待っていた……そのとき目がさめた。ぐっしょり汗をかいて……》

彼は、自分のおびえたことを思いだしながら、微笑していた。だが、心の中には、まだ動揺が見られていた。《少し熱があるらしい》と、彼は思った。まさに三十七度八分。ゆうべにくらべてはさがっている。だが、朝としてはいささか高い。

それから二時間の後、朝の身じまいと手当をしながら、彼の心はふたたび夢の思い出に引きもどされた。

《妙だな》と、彼は思った。《なにしろとても短い夢だった。全部目のまわるような三つの場面。レオンといっしょに心配しながら待っていた場面。それから、おやじがスーツケースを持ってはいって来た場面。つづいて、眼鏡と株券についての場面……そうだ。だが、それを中心として、その周囲になんといろいろなことがあっただろう！　きわめて特色のある、きわめて完全な過去の全部。夢はまさにそこから生まれてきていたのだ！》

彼は、洗面台の前にあまり長く立っていすぎたため、少し胸苦しさを感じはじめたので、浴槽《ゆぶね》のふちに腰をおろし、しばらく考えにふけっていた。

《すべての夢を生みだすそうした過去、それは明らかに、すでにわかっているところの、そしてすでに検討ずみであるはずの現象なんだ……それなのに、おれはそのときまで一度もそれを考えてみたことがなかった……ゆうべの夢の場合、このことはきわめて明らかだ……したがって、おれにじゅうぶんな勇気さえあれば、これはたしかに記録しておくだけの値打ちがあるだろう……そうしなかったら、二日もしたらすっかり忘れてしまうだろう》

アントワーヌは時計を見た。べつにいそぐこともなかった。彼は、その中に毎晩病床メモを書きつけ、いつも持ちあるくことにしているメモをとりあげ、何枚かの白紙をむしり取った。そして、化粧室のくぎにジゼールがかけておいたバス・ローブに身をくるむと、微笑しながら《何でもよく気のつく女だな》と、思った）、ふたたびベッドへ行って横になった。

かれこれ小一時間も一心に書きつづけた後、彼はベルの音を聞いて筆をおいた。

《おやじ》からの速達だった。フィリップ博士は、きわめて丁重な言葉で、明後日の晩でなければ会えないと言ってよこしていた。北部の病院を視察する視察団の団長として、むこう二日間パリを留守にするということだった。

アントワーヌはがっかりした。だが、せめてフィリップ博士が、自分の出発までに帰って来るだろうと、われとわが心をなぐさめた。博士とは、水曜の晩に食事をしよう。そして、グラッスに帰る汽車は木曜日にしよう。

ベッドの上には何枚かの紙片が散らばっていた。すべてで五枚。そこには判じ物のような奇妙な文字が一面に書かれていて、それらの文字の一字一字が、すべてはっきり離して書かれていた。――それは、彼がギリシャ語の作文を書きつけていたころからの習慣だった。アントワーヌは、それらの紙片をあつめて読み返した。最初の二枚は、夢の分析的記述にあてられていて、そこには記憶しているこまごまとした特徴が記されていた。ほかの三枚には、かなり雑然とした覚書が記されていた。彼は《正しく思考されたものであるかぎり……》（ボリローの言葉。《正しく思考されたものであるかぎり、それは必ず明瞭な表現を取る》）と、残念そうにつぶやいた。かつては、その明晰な頭脳により、わずか数行のうちに長い思索の要点を凝縮するというような、きわめて充実したノートを書くのを得意にしていた彼ではなかったか。《雑誌に書こうと思ったら……》と、彼は思った。《訓練のしなおしが必要だな》

そこには、つぎのようなことが記されていた。

……………………………………

夢には、はっきり区別される二つのものがある。

一、夢自体、これは（夢をみる当人が、つねに多少ともそれと関係を持っているところの）一つの物語。《動き》。これは、一般的に言って、短い、断片的な、変化に富んだものであり、俳優によって演じられる劇の一場面を思わせる。

二、こうした劇的な短い瞬間の周囲に存在する特定な一つの《状況》。そして、この状況こそ、その瞬間を支配し、この瞬間をしていかにももっともらしいものに思わせるものなのだ。それは、いつも動きの外、動きの縁辺に存在しているところのものなのだが、夢を見ている当人には、それが明確に意識される。夢自体の構造から考えて、夢みる人は、ずっと以前からこの状況の中に身をおいているものというわけなのだ。つまり、目をさましているときのわれらにとっての、われらの過去とでもいったようなもの。

自分の夢の場合についてみると、その動きを形成する三つの物語の周囲に、わたくしは無数の状況の存在しているのに気がつく。それは、夢の一部をなしてはいないが、暗黙のうちにその中に含まれているところのものなのだ。しかも、子細にながめるとき、これらの状況は二つの種類にわかれていて、たがいに異なる二つの圏とでもいったようなものを形成している。すなわち、その第一は、夢をその中に包んでいるというような直接的な状況。次には、時間的にずっと隔たった第二の圏。ずっと昔にさかのぼっての状況。これは、仮想的な過去を形成していて、その過去がなかったら、夢も生まれ得なかったであろうと思われるところのもの。ところでこうした過去、すなわち夢をみた当人であるこの自分に、絶えず意識されていたこうした過去は、夢の中ではなんの役割をも演じていなかった。それはただ、夢に先行して存在していただけなのだ。それはちょうど、劇における登場人物たちの過去が、彼らを偶然舞台上に集めることになった、その動きに先だって存在しているのとおなじなのだ。

このことを、もう少し突きつめて考えてみよう。わたしが第一圏の状況と呼ぶものは、たとえば、夢の中では、時間が問題になっていなかったにかかわらず、わたし自身、それが何時であるかを知っていたというようなこと。わたしはそのとき、あと数分すれば正午で、いつものようにジゼールが昼食を持ってきてくれるのを待っているのだということを知っていた。さらにわたしは、その朝、おりから彼女は留守だったので知らせるわけにはいかなかったが、父から、葬式のために帰って来るという電報の来ていたことを知っていた。(ここで一つわからないのは、それが誰の葬式であったかということだ。おばさんの葬式ではなかったらしい。だが、誰か近親の葬式にちがいなかった。というわけは、わたしたちはその喪に服していたのだから。)自分は、父が、車代を払おうとしてポケットの中の小銭をさがしているのを知っていた。それはわたしが、父の荷物を積んだタクシーが、父を家の前でおろしたのを知っていたからのことだった。(そしてわたしは、玄関の父を見ていたと同時に、往来にとまったタクシーをも見ていたと言えるだろう。)そのほかいろいろ……

　第二圏の状況。これは、夢の中でのアントワーヌにもその存在のわかっていた一連のかなり昔のできごとなのだ。そうしたできごと、わたしは、夢の中で、そのことを考えていたとは言いきれない。だが、そうしたできごとの思い出は、ちょうどわれらの現実生活における思い出とおなじように、わたし自身のなかにあったのだった。そうしたわけで、わたしは、父が、何かの慈善団体から、その団体の事業に関する調査(外国における感化事業の視察、ないし、そういった種類のもの)のため、どこか遠いところへ派遣され、ずっとまえからフランスを留守にしていたことを知っていた(じつは、知っている状態にあったというべきところだろう)。それは、きわめて遠い国への旅。とても帰ってこられそうにない旅。そして自分は、父の出発がわれらの心にひきおこした反応、すなわち、われらがみんな、その出発を思いがけないうれしいこととしてよろこんでいたことも知っていた。わたしが、父の監督の目がなくなるが早いか、ジゼールを妻に迎えたことも知っていた。ふたりして父の住まいを占領し、あらゆるものの位置を変え、家具を売りはらい、父の手まわりのものいっさいを童貞さんたちにわけてやり、ほうぼうの仕切りをぶちぬいて住まいの全面的な模様がえをしたことをも知っていた。（そして、ふしぎなのは、こうした夢の中での模様がえが、わたし自身が実際にやってのけたものと少しも似ていなかったということだった。たとえば夢の中での玄関だけは、なるほど明るいオークル色に塗られていた。だが、そこには薄栗色《アブアーヌ》のカーペットのかわりに、赤いやつが敷かれていた。そして、ブラケットのあるべきところに、父の控え室の古い樫の時計がかけられていた。）しかも、それだけにはとどまらなかった。自分の知っていたことを書きとめるためには、いくら書いてもきりがあるまい。たとえば、自分は、ジゼールとのふたりの部屋（それでいて、夢の中にはどこにもこの部屋が出てこなかった）が、かつての父の部屋だったことをきわめてはっきり知っていた。そして、それが、ヴァグラム通りのアンヌの部屋らしいものになっていることも知っていた。さらに自分は、その朝、レオンにそうじをするだけの暇がなくて、ふたりの大きなベッドが乱れたままになっていたことを知っていた。そして自分は、父がこの部屋のドアをあけるかもしれないと思ってびくびくしていた……なにしろ自分は、われらの生活、またわれらの周囲の生活について、さらに数かぎりない細かいことを知っていた。とりわけ次のようなこと。それは、ジャックが、夢の中でなんの役割をも持っていなかっただけ特にふしぎに思われるのだが、わたしは、自分がジゼールと結

婚した後、ジャックが、嫉妬にたえられないままに、スイスへ亡命したことまでも知っていた

……

アントワーヌは、ここまで書いて筆をとめた。彼は、これ以上書きつづける気になれなかった。そして、鉛筆を手にすると、そこの余白に書き記した。

こうした点に関し、夢の研究家たちの所説を調べてみること。

それから、彼は紙片をたたんで、立ちあがった。そして、吸入するため、水を火にかけてわかしはじめた。

しばらくの後、彼はタオルの中に頭をうずめ、顔を湯げにぬらしながら、目をつぶり、楽にしてくれる蒸気をふかぶかと吸いこみながら、ゆうべの夢の反芻《はんすう》をつづけていた。彼はふと、この夢の主題自身が、目のさめているあいだは、自尊心によってうまく隠されている何かしら自己嫌悪の気持ち、何かしら責任感、さらには罪悪感といったようなものをあらわしているらしいことに気がついた。《そうだ》と、彼は肯定した。《おやじが死んでからのことについては、あまり大きな顔もできないこのおれだ》（そうした言葉の意味するところは、単に住まいのぜいたくさだけにとどまらず、アンヌとの関係、夜あるきなど、つまりは安逸な生活にずるずる引きこまれていったことのすべてを含んで

いた。》《そのうえ》と、彼はつけ加えた。《おれはおやじの残してくれた動産の大部分をなくしてしまった……》（彼は、家の改造の費用として、財産の大部分を注《つ》ぎこんでいた。そして、残りの部分は、父の賢明な投資による利率をばかばかしいと思って、そのすべてを、いまでは無価値になったロシア公債に替えてしまっていた。）《そうだ》と、彼は思った。《いまさらかえらぬ愚痴はやめにしよう……》なにか屈託ごとがあるごとに、彼はこうしておさめるのをもって例とした。それでいながら――そして、あの夢こそは、まさにそのことを語っていた――彼の心の底には、《家の財産》、子々孫々に伝えるために節約された金、といったブルジョワ的な考え方がひそんでいた。そうした彼は、べつに誰にたいして責任があるというのではないが、それでいながら数代かかってたんねんに蓄積された財産を、わずか一年たらずで浪費したことをなにかしら気はずかしく思っていた。

彼は、しばらくのあいだタオルの中から首を出していた。そして、新鮮な空気を少し吸いこみ、充血した目の上をたたいてから、ふたたび、熱い、じっとりしたタオルの中に身をつつんだ。

一九一四年の冬に関するこうしたけさの反省は、きのう、ジゼールが出て行ったあと、あのがらんとしたりっぱな実験室や、テストを入れたカード箱、番号だけはつけてあっても中に何もはいっていない新しい厚紙《カルトン》を並べた、名だけは堂々たる《文献室》などへはいっていきながらいらいらさせられた印象と結びついていった。彼は、りっぱに整頓されていながら、まだ一度もつかったことのない《包帯室》の中へもはいってみたのだった。そして、その室の中で、かつての階下のそまつな室のこと、そのころ若い医師だった自分の、元気で、有能だった生活のことを思いだし、父の死後、自分が、まちがった道に踏みこんでいたことを理解したのだった。

さめてきた吸入器からは、ただ気の抜けたような蒸気しか出ていなかった。彼は、ぐっしょりとしめったタオルをすてると、顔をふいたあとで自分の部屋へかえって行った。

「アー……エー……アー……オー……」鏡の前に立った彼は、声をだそうと思ってそう言ってみた。声は、まだかすれていたが、音だけはだすことができて、しばらく喉頭《こうとう》が楽になった。

《呼吸体操を二十分……そのあとで、十分だけ休む。それから、身じたくをして、スーツケースをつめることにしよう。そして、きょうはフィリップ博士に会えないんだから、行きあたりばったりの列車でメーゾンへ行くことにしよう》

駅へいそぐ自動車の中、テュイルリー公園の花壇のあいだを抜け、しばふの上、五月の日を浴びて立つ白い大理石像の数かず、それに紫のもやにぼかされたカルーゼル凱旋門をながめながら、彼はとつぜん、春の朝、ルーヴルの広場でアンヌとあいびきをしたときのことを思いだした。するととつぜん、一つの考えが浮かびあがった。

「ボワ(ボワ・ドゥ・ブーローニュ)の入口へ行ってくれたまえ」と、彼は運転手に叫んだ。「そして、スポンティニ通りを通ってね」

バタンクールの家のそばまで来ると、彼は、車に徐行を命じた。そして、窓のそばに身をよせた。よろい戸はすっかりしまっていた。そして鉄門もしまっていた。家番室には、こうした木札がさがっていた。

売美邸
中庭――ガレージ――庭園付
総面積六二五平方メートル

《売》の横のところに、《貸》の一字が添えられていた。

車は、庭の土塀にそってゆっくり進んで行った。アントワーヌは、なんの感じもうけなかった。ぜったいなんらの感激も、なんらの愛惜も、そして、どうして来てみる気になったのか、心のうちにたずねていた。

「車をまわして……サン・ラザール駅だ」と、彼は運転手に叫んだ。

《そうだった》と、彼は、けさの思索がそのままつづいてでもいるかのように、時をおかず考えた。《おれは、なんとしてでも自分の職業的生活をより完全に組織しなければならないと思いながら、自分自身というものをだましていたんだ……ところが、そうした物質的な快適さは、すべておれの仕事をはげますかわりに、それを麻痺させてしまったんだ！　ああしたりっぱな組み立ても、じつはただ、からまわりをしているにすぎなかった。すべては、大がかりな目的のために準備されていながら、事実おれは何もしていなかったのだ……》彼はとつぜん、父の遺産についての弟の態度、金銭にたいしてみせたジャックの侮蔑のことを思いおこした。アントワーヌは、当時それをいかにもばかげたことと考えていたのだった。《そうだ、彼のほうが正しかった。いまだったら、ふたりはどんなに理解しあえたことだろう！……金銭によって毒されるということ。とりわけ、人から譲られた金銭で、自分のかち得たものでない金銭で……。もし戦争がなかったら、おれはあやうくだめになるところだった。ぜったいそうした中毒からのがれられないところだった。おれは、どんなものでも金で買えると思いかけていた。おれは、金のある人間の特権として、自分は少し働き、人をして働かせる権利があるものと思いかけていた。おれは、ジュスランなりステュドレルなりの、おれの実験室での最初の発見の功績を、あわや、破廉恥にも自分のものにしかけていた……うまい汁を吸う人間、おれはあやうくそうしたものになりかけていた！　金銭によって人をおさえてやることのたのしみ、おれはそれを知ったのだった……金銭によって人から尊敬されるたのしみ、おれはそれを知ったのだった……そしてあやうく、そうやって尊敬されるのを当然のことのように思い、金銭によって優越さまであたえられるもののように思いかけていたのだ……唾棄すべきだ！……そして、富める者とほかの者とのあいだに、金銭によってつくりだされる、ゆがんだ、あいまいな関係！　金銭のつくりだすきわめて陰険な悪の一つ！　おれはすでに、あらゆるもの、あらゆる人々を警戒しはじめていた。もっとも良き友にたいしてさえ、おれは、こうしたことを思いはじめていた。〈なぜおれにあんなことを言うんだろう？　おれの小切手帳をあてにしているんじゃないだろうか……〉唾棄すべし、唾棄すべし！……》

　アントワーヌは、こうしたかつてのおりをかき立てながら、その苦しみにたえられず、サン・ラザール駅について、はじめてほっとしたように思った。こうした気分転換によって、自分自身からのがれさせてもらえるのをうれしく思った彼は、息切れのことなどすっかり忘れて、ホールいっぱいの人ごみめがけておどりこんだ。

「……切符一枚……ちがった、メーゾン・ラフィット行き軍人三等一枚……こんどの列車は何時だね！」

彼はこれまで、めったに三等に乗ったことがなかった。きょうの彼は、それに乗ることに、何かしら痛快な喜びを感じていた。

七

クロティルドは、ドアをたたいてみた。片手の上に盆を平らにのせた彼女は、しばらく待ってみて、ふたたびノックをくり返した。なんの答えもない。彼女は、アントワーヌが朝食をしないで出かけたものと思って、むらむらしながらドアをあけた。

部屋の中はまっ暗だった。アントワーヌはまだ床についていた。彼にはノックが聞こえていた。だが、朝、吸入をしないうちはぜんぜん声がでないので、はじめから声をだすことをあきらめていた。

彼は、そのことをクロティルドに手まねで知らせてやったのだった。

彼は、相手を安心させる微笑とともにそうした無言の身ぶりをみせたのだったが、それにもかかわらずクロティルドは、おどろきと恐怖のあまり、まゆをつりあげて戸口のところに立ちすくんでいた。アントワーヌがひと言も言わずにいるのを見ると、彼女の頭には――ゆうべここへ着いたときには、台所へ話をしに来たではなかったか――彼が発作におそわれ、なかば麻痺状態に陥っているといった考えがひらめいた。それと察したアントワーヌは、彼女へ向かってさらに微笑しつづけながら、盆をベッドのところまで持ってくるように手まねで知らせた。そして、まくらもとのテーブルの上にあった鉛筆とメモを取って、次のように走り書きした。

ゆうべはよくねれた。朝はいつでも声がでないんだ。

彼女は、紙に書かれた言葉をゆっくり読みおわると、あっけにとられたようにちょっとアントワーヌの顔をながめていたが、それから、歯に衣着せずにこう言った。

「なんにしても、旦那さまがこんなようすでお帰りになろうなんて考えてさえもいませんでしたわ……やつら、ほんとにえらいめにお会わせしたんでございますね！」

クロティルドはよろい戸をあけにいった。朝の太陽が、さっと部屋の中に流れこんだ。空は青かった。そして、木造の露台にからんだ木づたのつくる額縁の向こうには、つい近くの樅のしげみ、さらに向こうには、すでに緑の色濃くなりつつある木々のこずえやサン・ジェルマンの森が軽い微風をうけてそよいでいた。

「せめてお食事だけはおできでしょうか?」と、クロティルドは、ベッドのそばへもどって来ながら言った。彼女は、茶碗に熱い牛乳を注いだ。そして、アントワーヌが、その中にパンを少しちぎって入れているのを見ながら、前掛けのポケットに両手をつっこみ、じっと注意しながら、ひと足あとに引きさがった。そして、彼がいかにも苦しそうにのみこんでいるのを見ながら、思わずこうくり返さずにはいられなかった。

「ほんとに、考えてもいませんでしたわ! 毒ガスにおやられになったことは知っていました。でも《毒ガスだったら、おけがをなさるよりましなんだ……》と思っていました。ところが、どうしてどうして! ほんとにわたし、病気のことは何ひとつわからないんでございますわ。旦那さまから、わたしと妹あてに、ジゼールさんといっしょにフォンタナンの奥さまのところへ来るようにと言っておよこしになったとき、アドリエンヌはすぐこう申したんでございます。《わたし、負傷したかたたちのお世話をするわ》そこで、わたしは言ってやりました。《わたしは、炊事だろうが、おそうじだろうが、どんなことでもするつもりさ。これまでだって、仕事の好ききらいはぜったい言ったことがないんだから。でも、負傷兵のお世話だけはまっぴらだね。どうも性に合わないから》そうしたわけで、アドリエンヌは病院付きになり、わたしは、別荘にいることになったのでした。ぶらぶらするひまこそありませんけど、なんの不平もございません。おわかりいただけると思いますが、ここにいて何から何までちゃんとさせようと思いますと、女手ひとつでは、一日二十五時間もなければ。でも、傷口の中を泳ぎまわったりするよりは、どれほどましかわかりませんわ」

アントワーヌは、微笑しながら聞いていた。《ジゼールがだめでも、せめてこの忠実なクロティルドの世話になれたら、たしかに悪くないんだが……だが、残念ながら、看護婦としては落第だな……》

アントワーヌは、そうした毎日の仕事がどれほどたいへんであるか、自分にもわかっていることを知らせてやるため、もっともらしく唇をつきだして、幾度となくうなずいて見せた。

「でも」彼女は、すぐに、ちょっと気がさしたとでもいったように言葉をつづけた。「じつを申せば、それほどいそがしくもございませんの。奥さまがたは、たいていいつも病院のほうへお出かけで、晩のお食事でなければ帰ってお見えになりませんし、お昼には、ダニエルさま、それにジェンニーさまとおぼっちゃまだけというわけですから」

まるで戦争による何年かが、かつて見られていた距離を取りさってくれたとでもいったように、彼女は、まえよりずっと心やすくなれた感じで、アントワーヌをおしゃべりでなやましつづけ、なんの遠慮もなく誰彼についての自分の意見を話して聞かせた。「……ジゼールさまは、とてもわたくしたちに親切にしてくださいますの……」「フォンタナンの奥さまは、しんはそれほど権高《けんだか》でおいででもないんでしょうが、前へでますと、とても気おくれがして、どういうふうにお話し申しあげていいかわかりませんので……」「……ニコルさまは、とてもおひきずりさん——それでいて人をはたらかせることがとてもおじょうず！」「……ジェンニーさまは、あんまり口数をおききになりませんが、とても働き手で、それに物わかりのいいかたで……」そして、彼女の話は、いつも愛情と賛嘆をこめて、《おぼっちゃま》のうえにもどっていくのだった。「おぼっちゃまは、たしかにえらくおなりになりますよ！　そして、おなくなりになった大旦那さまのように、人のうえに立って采配をふるようなおかたにおなりですよ！……」（《まさにおやじの孫というわけだな》とアントワーヌは思った。）「いまでももう、好きにおさせしておいたら、まわりのものを引きずりまわしておしまいですわ……とてもご想像つきますまい。ちっともじっとしていられないかた。なんでもやらずにはいられないかた！　どんなことでも、誰の言うことでも、ぜったいおききにならないかた……さいわいダニエルさまが、いつもおもりをしていてくださるからいいのですけど、わたしでしたら、仕事はありますし、とてもお世話できませんわ。ちっとも目が放せないというわけでして……ダニエルさまにとっては、とてもいいお相手。朝から晩まで、つくねんと、チューインガムをかむよりほかにご用がないというわけなので、もしおぼっちゃまがおいででなかったら、からだを持てあましておしまいですわ……」彼女は、十二分な含みを持たせたようすで、ちょっと首をゆすってみせた。「どう考えても、いまどきびっこのひける人なんて、うらやましく思わないものはいませんわね……」

アントワーヌは、メモを取りあげて、《レオンは？》と書いて見せた。

「そうそう、あのかわいそうなレオン……」彼女は、レオンについてはあまりたいしたことを知っていなかった（レオンは、戦線に出るなり、シャルルロワ付近で捕虜になった。アントワーヌは、収容所の番号がわかるやいなや、クロティルドに命じて、毎月食料品の小包を送らせていた。レオンは、三日ごとに、きちんきちんと葉書で礼を言ってよこした。ところが、どんな生活をしているかについては、なにも知らせてこなかった。）「フリュートを送ってほしいといってきたのをごぞんじですか？　ジゼールさまは、それをパリでお求めになったんでございますよ」

アントワーヌは、すでに牛乳を飲みおわっていた。

「ジェンニーさまのおてつだいにまいりませんと」と、クロティルドは、アントワーヌの前から盆をさげながら言った。「火曜日はあのかたのお洗濯日で、それに洗濯機というのが、動かせないほど重いんですから、なにしろおぼっちゃまがとてもおよごしになりますので！……」

彼女は、すでにドアのところまで行っていたが、も一度アントワーヌのほうを見ようとしてふり返った。その平べったい顔のうえには、とつぜん何か考えこんだようすが浮かんだ。

「アントワーヌさま、この何年というもの、ずいぶん変わったことがおこりましたわね？　何から何まで変わったことが！……いつもアドリエンヌに言っているんでございますよ。《もし、おなくなりになった大旦那さまがお帰りになったら！　おなくなりのあとで、どんなことがおこったかをごらんになったらって！》」

アントワーヌは、ひとりになると、のらりくらりと身じまいをはじめた。べつにいそがなければならぬ必要もなかった。彼は、その日の手当をたんねんにしようと思っていた。《もし、おなくなりの大旦那さまが帰っておいでになったら……》そう言ったクロティルドの言葉から、彼は改めてゆうべの夢を思いおこした。《おやじのやつ、なんとおれたちを、いまでもまだしっかりおさえつけていることだろう！》と、彼は思った。

ふたたび窓をあけたときには、もう十一時をまわっていた、彼は、発声の練習を誰にも聞かれずにするため、窓をしめておいたのだった。

庭のほうから男の声が聞こえた。「ジャン・ポール！　そこをおりるんだ！　ここへくるんだ！」すると、遠いこだまとでもいったように、やさしい、さわやかな女の声が聞こえてきた。「ジャン・ポール！　ダーヌ（子供がダニエルを呼ぶときの愛称）おじさんがお呼びですよ！」

アントワーヌは、バルコニーへ出てみた。彼は、木づたのとばりをかきわけずに、そのすきまから外をのぞいてみた。目の下には、庭と森とをしきっているソ・ドゥ・ルー（既出。土塀の代わりに、眺望をさまたげないため、壕でつくった一種の垣といったようなもの）を見おろすようにして、細ながいテラス（しばふなどでつくった盛土をした台地）がひろがっていた。そこの二本の木かげに（そこは昔、フォンタナン夫人がいつも腰かけていた場所だった）ダニエルが、本を一冊ひざにのせて、籐椅子の上に横になっていた。そこから数歩のところに、明るい青のジャケツを着た子供がひとり、へいの根もとに伏せた小さなバケツを足がかりに、テラスのふちによじのぼろうとこころみていた。テラスの向こうでは、以前植木屋が住んでいた家の日のあたる戸口がすっかりあけられ、腕をむきだしにしたジェンニーが、洗濯おけの前に半分すわりこむようにして、シャボンで下着類を洗っていた。

「ジャン・ポールおいで！」と、ダニエルはくり返した。

日の光で、一瞬、子供の褐色をした乱れた髪の毛がぱっと燃えた。子供は、帰る決心をしたのだった。だが、言いなりになったように見られないため、どっかり地面に腰をおろすと、シャベルをとって、バケツを砂でいっぱいにした。

しばらくして、アントワーヌが家の前の石段をおりていったとき、ジャン・ポールはずっとまえのところにいた。

「アントワーヌおじさんに《こんにちは》を言いにおいで」と、ダニエルが言った。

子供は、テラスの下にうずくまり、何も耳にはいらなかったかのように、いそがしそうにシャベルを動かしていた。アントワーヌの近よって来るのを見た彼は、手からシャベルを放し、いままでよりさらにぐっとうつむきこんだ。ぐっとだきしめられ、からだを持ちあげられた子供は、ちょっとのあいだじたばたした。だが、たちまちそのからかいに身をまかせ、明るい声を立てて笑いだした。アントワーヌは、子供の髪にキスしてやった。そして、耳に口をあててこうたずねた。

「どうだ？　アントワーヌおじさんはいじわるかね？」

「うん」子供は高い声でそれに答えた。

アントワーヌは、そんなことをしたために息が切れていた。彼は、子供を下におろすと、ダニエルのところへもどって来た。そして、腰をおろすかおろさないうちに、ジャン・ポールは走りよってきて、彼のひざによじのぼった。そして、彼の上着の中にくるまりこんで、眠ったようなふりをした。

ダニエルは、長椅子の上から動かなかった。ネクタイなしで、地味な古ズボンをはき、しまのフラノの、これまた古いテニス用の上着を着ていた。義足をつけた足には、黒い半長靴をはいていた。そして、別のほうの足は、靴下なしで、スリッパをつっかけていた。彼は、とてもふとっていた。顔だちは、元のままの端正でいながら、顔全体がぶよぶよしていた。髪は長すぎ、あごには薄ひげののっているけさの彼は、日常はだらしのないかっこうをしていながら、さて夜になって舞台に立ってみると、いまでもりっぱにローマ皇帝らしく演じてのける、田舎まわりの悲劇役者とでもいうようだった。

起きたときから、気管支のこと、咽喉《のど》のことに気をとられていたアントワーヌは、べつにどういうわけもなしに、ダニエルが、朝のあいさつのあと、からだぐあいについて何もたずねてくれなかったことに気がついた。（ふたりはゆうべ、たがいのからだぐあいのことを話しあい、たがいの不幸を話しあっていたのだった。）彼は、その場のかっこうをつけようと思って、なんの本だろうといったように、ダニエルが、いましもそれを閉じ、じゃりの上においたクロース装の本のほうへかがみこんだ。

「これですか？」と、ダニエルが言った。「『世界一周』……昔の旅行雑誌です……一八七七年」ふたたび本をとりあげた彼は、むとんじゃくなようすでページをくった。「さし絵がいっぱいはいっていましてね……家《うち》には、こうしたものがすっかり集まっているんですよ」

アントワーヌは、子供の髪を、うわのそらのようすでなでてやっていた。子供は、頭をおじの胸にあずけ、目を大きくあけたまま、何か深く考えこんででもいるようだった。

「けさ、何か変わったことがあったかしら？　きみ、新聞を読んだ？」

「いいえ」と、ダニエルが言った。

「連合国の軍事委員会議は、フォッシュ将軍の権限を、最近イタリア戦線まで拡張させることになったらしいが」

「ほほう？」

「それが、いまでは、公式に発表されているらしいんだ」

とつぜん、ジャン・ポールは、退屈なのに気がついたとでもいったように、ひざの上からすべりおりた。

「どこへ行くんだ？」と、ふたりのおじは同時に言った。

「ママのとこ」

子供は、スキップをしながら、いかにもたのしそうに植木屋の家のほうに駆けて行った。ふたりは、愉快そうにたがいに目と目を見かわした。

ダニエルは、ポケットから、チューインガムの箱を取りだしていた。そして、それをアントワーヌにすすめた。

「ぼくはたくさん」

「退屈しのぎにいいですよ」と、ダニエルが説明した。

「ぼくは、もうタバコをやめたんです」

彼は、ガムを一枚とり出すと、それをすっぽり口に入れてかみだした。

アントワーヌは、微笑しながら、ダニエルのようすをながめていた。

「戦地にいたころを思いださせるな……ヴィレル・ブルトヌーにいたときだった……ぼくたちは、それまで長いことアメリカ衛生班の占領していた農家に野戦病院を設けることになったんだ。ところが、やつらが、柱、ドア、テーブルの下、ベンチの上、いたるところ吐きだしたガムかすを金づちではがすのには、看護兵たちは一日かかりきりといったありさまだった……あのきたならしいガムときたら、まるでセメントみたいに固くなるんでね！……アングロ・サクソンどもの進駐が、あと何年か長引きでもしようものなら、アルトワ、ピカルディー（フランスの州の名）のありとあらゆる建具や家具は、まえの姿はどこへやら、身の毛のよだつガムのばけものになるだろう……」軽くせきこんできた彼は、しばらくのあいだ言葉を切らなければならなかった。「ちょうど……大西洋のなかにあるいくつかの岩が……グワノ（海鳥の糞）の山になってるように！」

ダニエルは微笑してみせた。ジャックとおなじように、こうした微笑のかわいらしさをいつも感じていたアントワーヌは、その微笑が少しも魅力を失っていないこと、顔だちこそぼてぼてしてはいるものの、上唇は、あいかわらず才気をうかがわせながら、ゆるやかに左にかけて斜めにまくれあがり、いっぽう、細めたまぶたのあいだから、それとなくいじわるそうな光のもれているのをうれしく思った。

あいかわらず咳がつづいた。彼は、じれったいというような、たまらないというような身ぶりをした。「ごらんのとおり……なさけない……カタル……患者だ……」と、彼は苦しそうに言った。そしてひと息ついてから「やつらのおかげで、なさけないめにあわされたんだ——まさにクロティルドの言うとおりだ。だが、ぼくたちは、これでもたしかに恵まれたほうにちがいない！……」

「あなたはね」と、ダニエルは、すかさず低い声で言った。

ちょっとのあいだ沈黙がつづいた。こんどはダニエルのほうから沈黙を破った。

「新聞を読んだかっておたずねでしたね？　読まないんです。できるだけ読まないようにしてるんです。ただでさえ、考えることといったら、戦争のことしかないんですもの！　ほかのことなど、何ひとつ考えられはしないんですもの！……公報にしたって、ぼくたちみたいに、《何々戦線において軽微なる活動……》《何々における奇襲奏効》なんてそれが何を意味しているかを知ってるものにとっては……いいかげんにしろ！　と言いたいんでしてね」彼は、長椅子のもたれに頭をあお向けながら、目を閉じて低い声で話しつづけた。「突貫したことのないものには、歩兵の突貫をしたものでなければ、とてもわかりっこないんですもの……騎兵だったあいだは、戦争とははたしてどんなものか、ぼくにもわかっていませんでした……なるほど三度ばかり突撃もやりました……騎兵の突撃、これもたしかに言葉ではつくせませんや……でも、某時某分、銃剣をもっての歩兵の突貫、いわゆる《つっこみ》にくらべたら、ものの数でもないんです……」

彼は、はっと身をふるわせて目をあけた。そして、ガムを乱暴にかみしめながら、しばらくじっと目の前をみつめていたあとで言葉をつづけた。

「じっさい、後方で、それを知ってるものが何人あるでしょう？　戦線から帰って来たものが何人あるでしょう？……しかも彼らが、なんで話しなんかするもんですか！　話せやしないし、話したくもないんですから。とてもわかってもらえっこないことがわかっていますから」

彼はそう言って口をつぐんだ。そしてふたりは、しばらくのあいだ、ひとこともかわさず、たがいの顔を見かわすことさえしないでいた。やがてアントワーヌは、ためらいがちな、咳にとぎれた声で話しはじめた。

「いよいよこれで戦争も最後だ、と思うときがあるんだ。これが最後で、さらにつづくほかの戦争があろうなんて、とても考えられないようなときが！……はっきりそうだと思うようなときが……だが、またべつのときになると疑いだす……何がなんだかわからなくなるんだ！……」

ダニエルは、どこを見るともない眼差しをして、だまってガムをかみつづけていた。何を考えているのだろう？

アントワーヌも、口をつぐんでいた。彼には、何分間かつづけて話をすることがなんともいえずつらかった。それでいて、彼はこれまでに、百度も、千度もおなじことを考えた。《そうだ》と、彼は思った。《人間同士の和解をさまたげているもののことを冷静に考えると、まったくぞっとせずにはいられない……精神的進歩なるものが――それもはたして、そうした精神的進歩なるものがあり得ればのことなんだが――人類から、その本能的な狭量さと、生まれついての暴力礼賛の気持ちとを、人間が暴力によって勝利をしめ、自分とちがった感じ方、自分とちがった生き方をしている弱者にたいして、自分の感じ方なり、自分の生き方なりを暴力によって強要するという気ちがいじみた快感を駆逐することができるときまで、はたして何百年かかるだろう？……しかも、そこに政策というやつがあり、列国というやつがある……戦争をやる当局にとって、また戦争を決定し、それをほかの人々の手によってやらせる権力者にとって、いざとなった場合、戦争はきわめて魅力的なものであり、きわめてたやすい解決方法にほかならないのだ……列国が、今後絶対にこの方法に出ないだろうとどうして期待できるだろう？……そうなるためには、それが彼らにとって不可能だときまることが必要なのだ。平和思想がしっかり世論に根をおろし、それがどこまでも拡大され、列国政府の好戦的な政策にたいして、それが乗りこえがたい障害になるようにならなければ。だが、それはほとんど夢想といっていいだろう……それに、平和思想の勝利だけで、平和の保証にじゅうぶんだろうか？　味方の国々についてみても、他日平和主義的政党が権力を握ったあかつき、その平和主義的イデオロギーを暴力によってほかの世界に強要するため、戦争の誘惑に身をまかせないとどうして言えよう？……》

「ジャン・ポール！」と、クロティルドは、見えない子供のほうへ向かって陽気に叫んだ。彼女は、盆の上に、オートミールの鉢、すももの煮たの、それにミルク・パイをのせたのを持ってふたりのほうへやって来た。そして、それらを庭園用のテーブルの上においた。

「ジャン・ポール！」と、ダニエルが呼んだ。

子供は、日を浴びながら、えらい勢いでテラスをつっきって走って来た。たびたびの洗濯で色のさめた青いジャケツは、彼の目の色そっくりだった。アントワーヌは、たくましいクロティルドの腕にだきあげられ、椅子にかけさせてもらうジャン・ポールを見ながら、いまさらのように、それが幼いころのジャックそっくりなのにはっとした。《ひたいのあたりもそっくりだ》と、彼は思った。《さか毛のあたりもそっくり……顔にぶつぶつのできているところ、しわをよせた小さい鼻のまわりにそばかすのできているところもそっくりだ……》アントワーヌは、彼に向かって微笑して見せてやった。だが、子供のほうでは、それをばかにされたものと思って、くるりとそっぽを向いたと思うと、まゆげをけわしくよせながら、ちらりと、いまいましそうな眼差しを返してきた。その目は、ジャックのそれとおなじように、動いてやまない、とらえどころのない表情をしめしていた。あるときは、にこやかで、甘えているかに見えると思うと、またあるときは、不安をたたえ、あるときは、ちょうどいまの場合とおなじように、野生的で、冷酷で、非情なようすを見せるのだった。だが、眼差しだけは、こうしたさまざまな表情のかげから、いつも変わらぬおどろくほどの鋭さを見せていて、相手を観察しているらしかった。

日に照らされたテラスをとおって、ジェンニーも姿をあらわした。そでをまくりあげ、水仕事にふくれた手をして、前掛けも水にぬれていた。彼女は、アントワーヌに向かって、ちらりと、親しみのこもった微笑を見せた。

「ゆうべはいかがでして？……あら、あたし、手がぬれていますの……よくおやすみになれました？」

「ありがとう。いつもよりはずっとよく」

この若い母親、はちきれるような胸をしながら、家政婦のやる仕事をなんのこだわりもなくやってのけている彼女を見ながら、アントワーヌはとつぜん、動員令が出た当日、ジャックがユニヴェルシテ町につれて来たときのあの少女――遠慮がちな、よそよそしい、地味なタイユールをぴったり着こなし、手袋をはめていた彼女を思いだした。

ジェンニーは、ダニエルのほうをふり返った。

「オートミールをたべさせてやってくださらない？　あたしまだ洗濯物を干してなかったの」彼女は、息子のそばへよると、首にナプキンを結んでやり、小鳥のようなかわいらしい襟足をなでてやった。「おじさまと、おとなしくオートミールをたべるのよ……すぐ帰って来ますからね」と、彼女は、向こうへ行きながら言いきかせた。

「うん、ママ」（子供は、それを、ジェンニーやダニエルのやるように、一字一字はっきり切りながら《マ・マー》と言った。）

ダニエルは、長椅子から立ちあがると、ジャン・ポールのそばへ来て腰をおろした。彼は、自分の考えのつづきを追っていた。で、妹が向こうへ行くやいなや、さも何事もなかったように話のつづきを語りはじめた。

「それにもっとほかの、口ではとても説明できないようなこと、後方にいる者にはとても想像できないようなことがあるんですよ。銃火圏にはいるやいなや、いつも経験するあの奇跡といったようなもの。まず第一に、偶然というやつにすっかり身をまかせ、選択の自由もなく、個人的意思をぜんぜんすて去ることによって感じられる極度の解放といった感じ。それから」と、彼は、感動を声にあらわしながら言葉をつづけた。「危険に身をさらしたすべての人間たちのあいだに見られる友情関係、兄弟といったような感じ……そうなんです、ところが、ぼくたちは、いったん《援隊》にまわり、後方四キロにさがるやいなや、たちまち元の人間にかえってしまうんです……」

アントワーヌは、黙って賛成の意味をあらわした。彼は、戦争について、主として泥と血の思いだけを持っていた。だが、彼にはダニエルの言おうとしていることがよくわかった。彼もまたそうした《奇跡》、おなじ宿命を重く感じている第一線部隊における一心同体のふしぎな気持ち、個我からの脱却の気持ち、そこにたちまち形成される、集団的な、兄弟といった気持ちのことを知っていた。

アントワーヌがいるのにおびえたのか、ジャン・ポールは、おとなしくダニエルにたべさせてもらっていた。話しながら、いっぱい盛ったさじをうまい手つきで、口に入れてやっているダニエルを見ると、彼が、こうした養い親といった役割に必ずしも新米でないことがうかがわれた。

《いま》と、アントワーヌはとつぜん考えた。《この目の前の事実は、昔だったらおそらくぜったい考えられなかったことだろう……ダニエルが、不具になり、こんなそまつな身なりをして、子供付きの女中がわりをしているなんて！……しかもその子供たるや、ジェンニーとジャックのあいだに生まれた息子なんだ！　それでいて、事実は事実にちがいないんだ。そして、このおれ自身、それにたいしてびっくりもしていないんだ。……事実は、それほど自明なのだ……そして、その自明さは厳としている！　いったんこうなった以上、こうならざるを得なかったとでもいったように……また、これとちがったものにはなり得なかったように思われるんだ……》彼は、ほんのしばらくのあいだ、こうしたとりとめもない考えにふけっていた。《もしゴワランのやつに聞かれたら、自由意思についての、四段がまえの大演説でも聞かされずにはいないだろう……》

「さあさあ、わき見をしないで」と、ダーヌおじが子供をしかった。オートミールからあんずにうつると、子供はおどろくほどの健啖ぶりを見せていた。気を散らした子供は、テラスの向こう、洗濯物を鳥小屋の柵に干している母親の行ったり来たりする姿を目で追っていた。そしてダニエルは、さじをあげたまま、ジャン・ポールが口をあけるのを、幾たびか、しかも長いこと、待っていなければならなかった。だが彼は、べつにいらいらしてもいなかった。

仕事をすますと、ジェンニーは、いそいで兄に代わりにやって来た。アントワーヌは、彼女の姿がふたたび日を浴びたテラスをつっきって来るのをながめていた。彼女は、すでにエプロンを取り、歩きながらそでをおろしていた。彼女は、ダニエルに代わろうとした。だが、ダニエルのほうで反対した。

「まかせろよ。もうすぐすむんだから」

「牛乳は？」と、彼女は陽気な声で言った。「さ、早く！　牛乳をのまないと、アントワーヌおじさまはなんておっしゃるかしら？」

ひじを立て、すでに牛乳の鉢を押しやりかけていたジャン・ポールは、それを途中でやめ、アントワーヌのほうへ、いどみかかるような、きっとした眼差しを投げた。彼は、てっきり何かおどし文句を聞かされるものと思っていた。ところが、アントワーヌから、まるで自分の味方ででもあるかのような微笑と目まぜを送られると、まるで毒気をぬかれでもしたように、しばらくためらっていた。つづいて、顔のうえには、いたずららしい快活さが輝いた。そして、自分のいかに従順であるかをアントワーヌに見届けてもらおうとでもいったように、おじの顔をじっと見ながら、息もつかずに牛乳の鉢をのみほした。

「さ、ジャン・ポールは、お昼寝をしに行かなくては。ママはこれから、アントワーヌおじさま、ダーヌおじさまといっしょに静かにお食事をしたいんだから」と、ジェンニーは、彼のエプロンをほどいてやり、椅子からおりるのをてつだいながら言った。

あとには、男ふたりだけが残った。

ダニエルは、テラスのほうへ幾足か進みでたと思うと、すずかけの幹から薄い皮をはぎ取り、しばらくのあいだ、それを気のないようすでながめていてから、それを指でもみくだいた。つづいて、ポケットから新しいチューインガムを取りだすと、ふたたびそれをかみだした。それから彼は元の長椅子へもどって行き、そこにからだを横たえた。
アントワーヌは黙っていた。彼はダニエルのこと、戦争のこと、突撃のことなどを思っていた。彼は、第一線での、あの神秘な友情関係のことを思っていた。ル・ムースキエで、あの小がらなリュバンは——そうだ、リュバンは、彼に、幾度となく、かつての協力者だった若いマニュエル・ロワのことを思いださせたものだった——ある日、食事をしながら、声をふるわせ、目には郷愁といったようなものを浮かべながら、《たとい人がなんて言おうと、戦争には戦争の美しさがあるんだ》と主張してはいなかったろうか？　そうだった。それは二十歳の若者で、ソルボンヌ大学からとつぜん兵営に、フットボール仲間からとつぜん塹壕に飛びこんできた男。地方人として何ひとつ《手がけ》たことがなく、自分の後に何ひとつ残すことなしに戦線に飛びこんできた男。そうした彼は、わっとばかりにこうした危険なスポーツに飛びついたのだった。《戦争には戦争の美しさ》と、アントワーヌは思った。《この目で見てきたあらゆるおそろしいことを思えば、そうしたものが、はたして問題になるだろうか？》
とつぜん、一つの思い出がよみがえった。ある晩——それは、一九一四年九月はじめのこと、アントワーヌは、それを自分では《プロヴァンの攻撃》と呼びならわしていたが、ほかの人たちにとっては、いわゆるマルヌ戦とよばれる長い戦闘のあいだのこと——彼は、はげしい砲撃の下をくぐって、大いそぎで救護班を移動させなければならなかった。うまく負傷者の撤退をすますことのできた彼は、看護兵たちを従え、みぞの中をはらばいながら、砲弾の落下点を避けて、上方をすっかり吹きとばされた一つの建物のところまでたどりつくことができた。厚い壁と迫持《せりも》ちになった穴倉があって、それらが当座の待避所になっていた。おりもおり、敵弾は射程を伸ばしてきた。落下する砲弾は近くなってきた。彼は、すぐに部下の者たちを穴倉の中へおろしてやり、あとから揚げ板をしめてやった。それから彼は、入口のそばに身をひそめ、砲撃の終わるのをうかがいながら、かれこれ二十分もそこにとどまっていた。事はそのときおこったのだ。三、四十メートルのところにはげしい炸裂の起こったのを見た。彼は、濛々《もうもう》たるしっくいの雲の中を、部屋の奥までさっと飛びのいた。すると、そこの暗がりに、ずらりと並んで立っていた自分の部下たちにぶつかった。どうしてそこにいたのだろう？彼らは、軍医殿が、自分たちといっしょに《ずらかって》くれないのを見て、ひとりずつ揚げ板をあげ、べつに言いあわしたというのでなしに、隊長のうしろに黙って並んでいたのだった。

《たしかに、ずいぶん言語道断な時期だったな》とアントワーヌは思った。《しかも、ああした連帯と誠実とのあらわれは、おれに一瞬、終生忘れることのできないような喜びをあたえてくれたものだった……もしもあの晩、リュバンのような男がいて、おれに〈戦争には戦争の美しさがある〉と言ったとしたら、おれはおそらく〈そうだ〉と言ったにちがいなかった……》

だが、彼はすぐに思い返して、

「ちがう！」と、言った。

ダニエルはおどろいて彼のほうをふり向いた。アントワーヌは、自分でもそれに気づかず、そう口にだしていたのだった。

彼は、軽く微笑してみせた。

「じつはね……」と、彼は話しはじめた。

彼は、言いわけでもするかのように微笑していた。彼は、自分の気持ちを説明するのをあきらめた。

そしてそのまま口をつぐんだ。

二階では、寝るのがいやだとぐずっている、ジャン・ポールの泣き声が聞こえていた。

八

ジェンニーは小さなベッドに子供を寝かせていた。そして、毎朝のように、昼食後すぐ病院の下着室での仕事をしに行けるように、子供の寝つくまでに着替えをしていた。一つの窓の前にかかったとき、彼女は軽い窓掛けを通して、アントワーヌとダニエルがすずかけのかげで何か話しあっている姿をみとめた。アントワーヌの声には響きがないので、彼女の耳までは聞こえなかった。疲れたような、それでいてとつぜん生気をしめすダニエルの声だけが、おりおり聞こえていたが、はっきりした言葉では聞きとれなかった。

彼女は、たまらない気持ちで、かつてあれほどじょうぶであり、なんの屈託もなく、たがいに将来の希望に胸をふくらませていた青年のころのふたりを、思いだした。ところが、戦争は、そのふたりを、いま見るようなものにしてしまった……なるほどこうしてあそこにいる！　生きている！　からだもよくなっていくだろう。アントワーヌも、声がでるようになるにちがいない。ダニエルも、びっこをひくのになれるだろう。そして、ふたりとも、その生活をはじめることになるだろう！……だが、ジャックはそれとちがっている……こうした明るい五月、彼もまたどこかに生きていてくれてもよかったろうに……こんなことなら、すべてをなげうっていっしょになりに行ったものを……そして、ふたりで子供を育てたものを……だが、すべては永久に終わってしまった！

いま、ダニエルの声は聞こえなくなっていた。ジェンニーは窓のそばに歩みよった。すると、家のほうに歩いて来るアントワーヌの姿が目にはいった。彼女はきのうから、アントワーヌとふたりきりで会える機会を求めていた。彼女は、ジャン・ポールのほうをちらりと見て、もう動かなくなっているることをたしかめた。そして、スカートのホックをかけ、手早く部屋をかたづけると、階段へ向かったドアをあけた。

アントワーヌは、手すりにしっかりつかまりながら、ゆっくり階段をあがってきた。顔をあげた彼の目に自分の姿がはいったのを見ると、彼女は微笑を浮かべて見せた。彼女は、指を唇にあて、彼を迎えようと歩みよった。

「寝てるところを見に来てくださいません？」

息切れがして何とも返事のできなかった彼は、つま立ちながら彼女のあとにしたがった。青い模様のジュイー布を張りつめた、細長い、とても大きな部屋だった。部屋の奥にはおなじような二台のベッド。その二つのあいだに子供のベッドがおかれていた。《昔の両親の部屋にちがいない》おなじような二つのベッド、だが、げせないことは、その二つのベッドが、ともに使われているように見え、そのおのおののベッドの横に、いろいろ身のまわり品を載せた小テーブルのおかれているのを見てアントワーヌは思った。ベッドの上、壁の中央には、まるで本物そっくりのように人目をひく、ジャックの等身大の肖像がかけられていた。現代風な油絵で、アントワーヌとしては、きょう見るのが、はじめてだった。

ジャン・ポールはからだをよじらせ、片方の肩をまくらの下にうずめ、髪はみだれたまま、しめった唇をかすかにあけながらうとうと眠りつづけていた。自由になっているほうの腕は、夜具の上におかれていた。だが、それもただ投げだされているのでなく、小さいこぶしを、まるでなぐりあいでもするように固く握りしめていた。

アントワーヌは、口をきかずにたずねるといったように、肖像画のほうを指さして見せた。

「スイスから持って来たんですの」と、そっとジェンニーが言った。彼女もまた、その絵のほうへ目をやった。それからふたたび子供のほうをながめた。「とてもよく似ていますわ！」

「この年ごろのジャックを、あなたに見せてあげたかったな！」

《しかし》と、アントワーヌは考えていた。《それはなんら、ふたりが精神的に似ていることを意味してはいない……この子には、ジャックとなんら関係のない無数の性質が見られているんだ！》彼は、そうした考えの終わりの部分を、低く声にだした。

「ふしぎではないだろうか？　遠い近い、また直接間接な無数の祖先の力が、一つにあつまってこうしたひとりの子供を作りあげたなんて！　そのうちの誰の影響がいちばん大きくあらわれているのだろう？　それはまったくわからない……つまり、生まれてくるひとりひとりは、すべて知られざる奇跡というようなものなんだ。ひとりひとりは、古い昔の要素の結合なんだ。それでいて、それはまったく新しい結合なんだ……」

子供は、目をさまさず、こぶしも固く握りしめたまま、しかも人から見られまいとするかのように、とつぜん腕を顔の前でまげた。アントワーヌとジェンニーは、言いあわせたように微笑した。

《それにまたふしぎなのは》と、ふたり黙って部屋の向こうのはしへすさって行きながらアントワーヌは思った。《ジャックが、自分の中に持っていた、いろいろちがったものを生みだす可能性の中から、どうしてこれだけ――この合成物、すなわちジャン・ポールだけ、ただ彼だけに形をあたえ、命をあたえたかということだ……》

「ダニエルは、あんなに熱心に何をお話ししていましたの？」ジェンニーは、ちょっと声を忍ばせながらこうたずねた。

「戦争のことなんだ……どうしてみても、人間だれでも、いやおうなしにその考えに取っつかまってしまうんだ」

ジェンニーは顔をこわばらせた。

「わたし、ダニエルとは、そのことをぜったい話さないことにしていますのよ」

「ほほう?」

「ダニエルはたびたび、あの人のため、わたしが恥ずかしくなるようなことを口に出しますの……国家主義的な新聞で読んだいろいろなことを……ジャックさんがいたら、とても自分の前で言わせておかないだろうと思われるようないろいろなことを」

《では、彼女はどんな新聞を読んでいるのかしら?》と、アントワーヌは思った。《ジャックをしのんで『ユマニテ』でも読んでいるのかな?》

ジェンニーは、とつぜん彼のそばへ身をよせた。

「動員令のくだった晩(いまでもわたし、その場所をおぼえていますわ。下院の前、歩哨小舎《ごや》のそば)、ジャックは、わたしの腕をつかんでこう言いましたの。《いいかね、ジェンニー、きょうからは、戦争を認めるか認めないか、それによって人間を分類しなければ!》」

彼女は、一瞬身動きせずにいた。心の中には、いまもその時のジャックの言葉が、ありありと響いているのだった。やがて彼女は、かすかな微笑を見せたと思うと、くるりと向きなおり、ふたをあけてあったマホガニーの事務机の前へ行って腰をおろした。

アントワーヌは、じっと肖像画をながめながら立っていた。ジャックは、椅子に腰をかけ、顔を毅然とあげ、手をひざの上に握りしめながら、斜めの姿で描かれていた。そのポーズには、いささか人を人とも思わぬ風情があった。だが、それはいかにも自然なポーズで、ジャックは、いつも好んでそういうふうに腰をかけていたのだった。濃い栗色の髪は、きつくひたいを区切っていた。（《いずれジャン・ポールの髪も濃くなるにちがいない》と、アントワーヌは思った。）眼窩《がんか》にひそんだ眼差し、若いしわをたたんだ大きな口、がっしりしたあご。それらは、何かしら悩ましい、ほとんど殺気をおびたとさえ言えるほどの表情をしめしていた。背景は、未完成のままになっていた。

「一九一四年六月のものですの」と、ジェンニーが説明した。「パタースンというイギリス人が描きましたの。その人、いまは、ボルシェヴィキといっしょになって活動しているらしいんです。……ヴァンネードさんが自分の家へ持ってっていて、それをジュネーヴでわたしにくれました。ごぞんじですわね、あのヴァンネードさん。ジャックさんのお友だちの白子の人……たしか手紙にお書きしたと思うんですけど」

彼女は、思い出をたどりながら、スイスに滞在していたころのことを話しだした。（彼女は、誰にも話さなかったこうしたことを、いまアントワーヌに話すことのできるのを、明らかにうれしく思っているらしかった。）ヴァンネードは、彼女をグローブ・ホテルへつれて行き、ジャックのいた部屋を見せてくれた（《窓のない踊り場へ向かった屋根裏の部屋……》）。それからカフェー・ランドールへ行き、《本部》へ行き、そこで彼女を《談話室》での集会の生き残りの面々に紹介してくれた……そうした連中の中で、彼女はかつて『ユマニテ』紙でジョーレスの協力者だったステファニー（彼女はパリで、ジャックから紹介されて知っていた）に会えたのだった。ステファニーは、うまくスイスへのがれることができ、そこで『彼らの大戦』と称する新聞を創刊した。彼は、こうした生っ粋の国際的社会主義者たちの中にあって、いちばん活動的な男のひとりだった。……「ヴァンネードさんは、バーゼルへもつれてってくれましたわ」彼女は、夢みるような目つきで言った。

彼女は、事務机のほうへ身をかがめると、鍵のかかっていた引き出しをあけた。そして、注意ぶかく、まるで宝物とでもいったように、原稿の包みを取りだした。そして、それをアントワーヌに手渡すまえに、しばらく両手の中にかかえていた。不審に思ったアントワーヌは、それを手にとると、めくってみた。おお、その書体……

諸君はいま、銃にたまごめして向かいあい、愚劣にも殺しあおうと身がまえている……

彼はたちまち了解した。いま手の中にあるもの、これこそは、ジャックが死に先だって書きなぐった最後の原稿にほかならないのだ。しわだらけで、いたるところ書き消しがあり、印刷インキのしみでよごれている。書体はまぎれもなくジャックのものにちがいないが、いそいだためと、熱に浮かされていたために乱れていて、荒々しく、強くおしつけて書かれているかと思うと、あるときは、ふるえていて、まるで子供が書きでもしたように見わけのつかないものだった。

フランス政府、ドイツ政府は、諸君のきわめて明白な個人的利益に反し、諸君の信念に反し、きわめて人間的な、きわめて純粋な、きわめて正当な諸君の本能に反して、なお諸君を家庭から奪い、諸君を仕事から奪い、諸君の生命を自由に処分するだけの権利を持っているのだろうか？　彼らにたいし、諸君の生命と死とを自由にする恐ろしい力をあたえたもの、それははたしてなんであるか！　いわく、諸君の無知！　いわく、諸君の忍従の精神！

アントワーヌは目をあげた。

「アジビラの下書きですの」そうつぶやいたジェンニーの声は変わっていた。「バーゼルで、プラトネルさんからもらいましたの……プラトネルさん。その印刷を引き受けてくれた本屋さん……あの人たちは、原稿をそのまま取っておいて、わたしに……」

「あの人たちって？」

「プラトネルさん。それに、ジャックさんと知りあいになった若いドイツ人のカペルさん……このかたはお医者さん……お産のとき、とてもよくしてくれましたわ……あの人たち、ジャックさんが泊まっていて、これを書いたという家へつれてってくれました……そして、ジャックさんが飛行機で飛び立ったという丘へもつれてってくれました……」彼女は、話しながら、軍隊や、外国人や、スパイでいっぱいの国境の町に滞在していたときのことを思いだしていた。……彼女は、アントワーヌに話して聞かせているライン川の両岸のこと、軍隊の手で守られている橋、ステュンフ夫人の古い家、ジャックの暮らしていた屋根裏の部屋、倉庫の並んだ、石炭にまみれている風景のことなどを思いだしていたのだった……それに、ヴァンネード、プラトネル、カペルといっしょに、あのアンドレーエフのがたがた馬車で高地のところまで行ってみたときのこと。その馬車というのは、まさにジャックがメネストレルと落ち合うために乗って行ったところのもの……彼女の耳には、いまもなおプラトネルの咽喉《のど》にこもった声が聞こえていた。《ここから土手にのぼったんです……夜でした……ここのところで、飛行機が山のいただきの切れめからあらわれて来るのが見えたんです……あそこに着陸しました……そして、ジャック君が乗りこんだんです……》

「その高地で待っているあいだ、ジャックさんは何をしていたのかしら？　何を考えていたのかしら？」と、彼女はためいきをつくように言った。「みんなから離れたところへ行っていた、ということですの。……離れたところへ行って、たったひとりで横になっていた、ということですの。……たしかに死ぬことを知ってたんですわ。最期にのぞんで、何を考えていたんでしょう？　わたしには、永久にわからないことになったんですわ」

じっと肖像をながめていたアントワーヌは、ジェンニーの話を聞きながら、自分もまたその高地での一夜のこと、運命の飛行機の到着したときのこと——あのばかばかしい最期のことなどを考えつづけていた！　彼は、そうしたヒロイズム、さらにその他のヒロイズム、そしてほとんどすべてのヒロイズムの無意味さについて考えていた。彼の心には、崇高であるとともに空疎なさまざまな戦争の思い出がよみがえってきた。《ほとんど常に》と、彼は思った。《ああした勇ましい狂気は、誤った判断のうえに立っている。すなわちそれは、はたして最高の自己犠牲に値するものであるかどうか冷静に考えたことのない、ある種の価値にたいする、夢のような信頼に過ぎないのだ……》彼は——拝物狂とさえ言えるほどの——意思と勇気との礼賛者だった。それでいながら、彼の性質は、ヒロイズムなるものをきらっていた。そして、四年にわたる戦争のあいだ、それにたいする嫌忌はますます固められるいっぽうだった。それはけっして、弟の行為の価値を引きさげようと思ってのことではなかった。ジャックは、おのれの信念を守るために死んでいった。みずからを犠牲にしてまで、自己に忠ならんとしたのだった。そうした最期には、尊敬の念を禁じ得ない。だが、ジャックの《思想》を考えるごとに、彼はいつも次のような根本的な矛盾に行きあたらずにはいられなかった。すなわち、自分らの性情と知性のすべてをあげて暴力の否定に終始していたあの弟が——（自分の生命を危険にさらしてまで暴力とたたかい、同胞愛と戦争にたいする怠業を説いてやまなかったのも、まさにそうした抜くべからざる暴力否定の気持ちを立証するものではなかったろうか？）——そうした弟が、いったいどういう風の吹きまわしで、何年という長いあいだ、社会革命の先棒をにない、暴力のなかでももっとも悪質なもの、すなわち、公式主義者たちによる理論的、計画的、そして冷酷な暴力を支持する気になったのだろう？　《だが、ジャックにしても》と、彼は思った。《彼が望むような全体的革命なるものが、血なまぐさいかずかずの非行や、罪ほろぼしだといって無数な人々を殺すことなしに得られるものと考えるほど、それほどおめでたくも、それほど人間性について夢を持っていたのでもなかったろうに！》

彼の眼差しは、肖像のなぞのような顔に問いかけるのをやめ、ふたたびジェンニーの顔のうえにそそがれた。ジェンニーは、ただ一心にアントワーヌの話のあとを追っていた。そして、おどろくほどの感激から、面がわりさえ見せていた。

《なんにしても》と彼は思った。《おれはいままでに何ひとつ、これといったことをしておかなかった。だからおれには、自分の信念で思いきったことをやってのける連中……不可能をやってのける勇気のある者をさばいたりする権利はないんだ……》

「何よりいちばんたまらないのは」と、ジェンニーは、しばらく口をつぐんでいたあとで言葉をつづけた。「あの人、わたしに子供の生まれることを知らずにいたということですの」彼女は、そう言いながら、原稿を取って引き出しにしまった。彼女は、またしばらくのあいだ口をつぐんでいた。やがて、彼女は、さも、心に思っていたままを口に出すといったように（アントワーヌは、彼女が、こうしてさりげなく打ちあけ話をしていてくれるのを何よりうれしく思っていた）、「わたし、ジャン・ポールがバーゼルで生まれてくれてほんとにうれしいと思いますわ。父親が、そこで最後の幾日かをすごしたんですから。そこで、一生のうちのいちばん張りきった時をすごしたんですもの……」

ジャックのことを思い浮かべるごとに、そのひとみの青さはわれ知らず深まり、こめかみのあたりはほんのりあからみ、顔全体にかけて、燃えるような、おさえきれないといったような特殊な表情が浮かび、しかもそれは、浮かんだかと思うとたちまち消えていっていた。《恋の思い出が、永遠に忘れられずにいるんだな》と、アントワーヌは思った。彼は、そのことを思って、いらいらしていた。

そして、自分でも、いらいらしてくるのにおどろいていた。《愚劣きわまる恋愛ざただ》と、彼は考えずにはいられなかった。《ああして、明らかにちぐはぐなふたりにとって、恋愛は要するに一つの誤解にすぎなかったのだ……おそらく長つづきすることのなかったであろう誤解なのに、それが、いま、やっぱり彼女の思い出の中に生きていて、ジャックのことを語るその言葉のはしばしにまで見えているのだ！》（彼は固く信じて疑わなかった。それは、あらゆるはげしい恋愛の底には、いつも誤解があり、大まかな夢があり、誤った判断があり、つまりたがいに相手がたにたいする誤った考えがあり、もしそれがなかったら、とても盲目的に愛しあえるものではない、ということだった。）

「わたしの責任は、とても重くなったんですわ」と、彼女は言った。「ジャン・ポールを、あの人の息子として、あの人の望んでいたような者に仕あげなければなりませんから。それを思うと、ときどきこわくなってきますの……」彼女は顔をあげた。ちらりと誇らしげな光がその目に浮かんだ。彼女は、《でもわたし、自分を信じています》と、考えてでもいるようだった。だが、口に出しては、

「でもわたし、あの子を信じているんです！」と、言った。

アントワーヌとしては、彼女がこうも雄々しく、こうもけなげであるのを見てたまらなくうれしく思った。いままでの何通かの手紙のちょうしから推して、彼は、もっと心が動揺し、もっと気がよわくなっている彼女、自分自身のつとめにたいしてこれほどの覚悟はできていない彼女を見いだすことばかり想像していた。彼はいま、絶望などに取りつかれていない彼女、苦しみに出会ったほかの多くの女たちのように、自分からすすんで不幸に身を打ちまかせ、こぼち去られた恋の思い出を、自分自

身の目に、またほかのすべての人々の目に、ただ崇高なものとして見せようと一心になっているのでない彼女を見いだせたのをうれしく思った。そうだ、彼女は、すこやかに立ち直っていた。がっしりと自分自身の支配を取りもどし、ただひとり、これからの生活を引きうけていた。アントワーヌは、そうした彼女の態度に、どれほど感心させられたかを話して聞かせた。

「これ以上ないほど、じつに見あげた態度だと思うな！」

ジェンニーは、何も言わずに聞いていた。それから、きわめてあっさりとこう言った。

「見あげたことなんかではありませんわ。……それをみごとにやりとげられたというのも、それはわたしたちふたり、ジャックさんとわたしと、いっしょの生活を一度もしたことがなかったからなんだと思いますわ。あの人が死んでも、その日その日のわたしの暮らしにはなんの変化もありませんでした……そうでした、少なくも最初のあいだ、このことがささえていてくれたんですの……それにも一つ、子供というものがありました。生まれないずっとまえから、子供のおかげで心をささえてもらっていました。生活には、目的がのこっていてくれたんですの。つまり、ジャックさんの忘れがたみを育ててあげるということ……」

彼女は、しばらく黙っていたあとで言葉をつづけた。「ずいぶんむずかしい仕事ですわ……この子ときたら、とても扱いにくい性質ですもの！　ときどき、ぞっとするようなことがあります……」彼女は、さぐるような、ほとんど疑うような眼差しで子供をつつんだ。「当然ダニエルがお話ししたと思いますけど？」

「ジャン・ポールのこと？　いや、べつに取り立てて」

アントワーヌは、ジャン・ポールについて、兄と妹とのあいだに見方のちがいのあること、その食いちがいが原因になって、ふたりのあいだに、何か不和らしいものがかもしだされていることに気がついた。

「ダニエルに言わせると、ジャン・ポールは、わざとおもしろがって言うことを聞かないんだと言うんですの。とんでもない。それはまったく嘘ですわ。いずれにしても、これはなかなか複雑ですの……わたし、しっかり考えてみました。なるほどあの子は、本能的に《いや》と言います。でも、それは悪意があってのことではないんですの。ただ、反対してみたいという気持ちからだけ。つまり、自分をしっかり打ち立てたいため。何かしら、自分自身の存在を自分にたしかめたいといった気持ち、……しかもそれは、心の中のやむにやまれぬ力のあらわれだということがはっきりわかっているだけに、おこるわけにいきませんの……それは、自己保存の本能とおんなじように、あの子にとっての本能なんです！……しかったりする気になれないことが多いんですの」

アントワーヌは、おもしろそうに耳をかたむけていた。そして、話のつづきをうながすため、しぐさで賛成の意味をしめした。

「わかっていただけますわね？」と、ジェンニーは、安心し、信じきっているような微笑を浮かべながら言った。「子供たちを扱いつけておいでのあなたは、びっくりしたりなさいませんわね……でもわたし、ああしたひねくれた子供の前へ出ると、どうしていいかわからなくなってしまいますの……そうなんですの……わたし、言うことをきかないあの子を見ながら、たびたびあっけにとられるといったような、なんだか気おくれするようなおどろきに打たれますの――あっと感心させられるとさえいえそうな気持ち――あの子が大きくなり、発育し、理解力の出てくるのを見ているときとおんなじような……庭にひとりでいるとき、ころんだりすると泣きますけど、わたしたち誰かの前で痛いめにあっても、めったに泣いてみせませんの。……ボンボンをやろうといっても、べつになんの理由もなしにきっといらないというでしょうが、あとからこっそり箱を盗みにくるんですの。それは、いじきたなさではありませんのよ。その箱を、あけてみようとさえしないんですもの。そして、長椅子のクッションの下にかくしたり、砂のお山の下にうずめに行ったりするんですの。なぜでしょう？つまり、自分が、ひとり立ちで何かしているところを見せたいため……。しかってやっても、ただ黙りこくっているばかり。筋肉という筋肉が反抗でこわばり、目のいろは変わり、その目できつくわたしをみつめるんで、とてもしかりつづける気になれませんの。これ以上ないといったような目つき……それでいて、澄みきった、さみしそうな目つき……その目を見ていると、いやでも圧倒されてしまいますわ！ たしかに子供のころのジャックさんの目つき……」

アントワーヌは微笑した。

「そして、たぶんあなたの目つきだな！」

彼女は、そうした推測を、手をあげてはらいのけるしぐさをした。そしてすぐに言葉をつづけた。

「でも、このこと、お耳に入れたいと思いますの。あの子は、上から押しつけられると一から十まではね返すかわりに、ちょっとやさしくしてやると、ころりとまいってしまいますの……ふくれているときには、うまく引きよせてだいてやると、すっかりきげんがなおりますの。わたしの胸に顔をうずめ、わたしにだきついて笑いますの。まるで、何か堅いものが、急にやわらかくなり、溶けはじめるとでもいったよう……まるで、ついていた悪魔が急にはなれでもしたように！」

「もしも相手がジゼールだったら、さらに言うことをきかないだろうな？」

「それがまったくちがうんですわ」と、彼女は急に固くなった。「ジーおばさんには夢中ですのよ。ジゼールさんがいると、ほかのもののことなど、すっかり忘れてしまいますの！」

「では、なんでも思いどおりにさせられるのかね？」

「ところが、わたしや、ダニエルのようにはいきませんの。ジゼールさんなしでいられないのも、それは、何から何まで自分の気まぐれのお相手をさせるため！　そして、ジゼールさんにやらせることは、たいていの場合、きまりわるくてほかの人にはたのめないようなことなんですの。半ズボンのボタンをはずしてもらうとか、手の届かないものを取ってもらうとか。そして、その場にわたしがいないと、ひとこともお礼を言わないんですの！　何か言いつけるときの言いかたときたら！　まるで……」彼女は、思っていることを口に出すまえに、ちょっとのあいだ口をつぐんだ。「こんなことを言っては、……ジゼールさんにわるいと思いますけど、でも、それはほんとうなんだと思いますわ。あの子は、ジゼールさんの中にある奴隷の血をかぎつけてでもいるようですの……」

この最後の言葉をいぶかしく思ったアントワーヌは、問いただすような注意をこめてジェンニーの顔を見まもっていた。だが、ジェンニーのほうでは彼の視線をさけた。そして、おりから昼食の鐘が鳴りだしたのを聞いて立ちあがった。

ふたりは、いっしょに戸口のほうへ歩いて行った。ジェンニーは、何か言いたげなようすだった。彼女は、手を錠にかけてから、ふたたびそれをひっこめた。

「わたし、とてもうれしかった……」と、彼女はつぶやくように言った。「スイスから帰ってから、わたし誰ともジャックさんのことを話せないでいたんですもの……」

「だって、ジゼールがいたじゃない？」アントワーヌは、ジゼールから聞かされていた打ちあけ話や悲嘆のことを思いだして、そう言ってみた。

ジェンニーは、立ったまま、両目を伏せ、入口のかまちによりかかったまま、さもその言葉が耳にはいらなかったとでもいうようだった。

「ジゼールさん？」彼女はやがて、さもその言葉を、いくらか時間をおいてはじめて耳にしたというったようにくり返した。

「あなたの気持ちがわかるものは、ジゼール以外にありはしない。ジャックを愛していたんだから。とても悲しがっているんだ……ジゼールも」

ジェンニーは、まぶたを伏せたまま、首をふって見せた。どんな説明もしたくないといったようすだった。やがて、アントワーヌのほうをじっと見てから、思いもかけぬ荒々しい口調でこう言った。

「ジゼールさん？　あのかたには、信仰があるんですわ！　信仰に気持ちをまぎらしてもらって、何も考えずにいられるんですわ！」ジェンニーは、ふたたびうつ向いてしまっていた。彼女は、ちょっとの間をおいてからこう言った。「わたし、ときどき、あのかたがうらやましくなってきますの！」だが、そのちょうしといい、笑おうとして笑いそこねたような咽喉《のど》のひびきといい、それははげしく彼女の言葉の裏をかいていた。彼女もすぐに、とんだことを言ってしまったと思ったらしい。「でも、ジゼールさん、とても仲よしになってくれましたわ」と、彼女は、声をやわらげ、しんみりしたちょうしで言った。「わたしたちのこれから先を考えると、あのかたはわたしにとってとてもたいせつな人なんですの。あのかたがいつもそばについていてくれると思うと、それが何よりの慰めですの……」

アントワーヌは、そのあとに《でも》という言葉が言われるだろうと思っていた。彼女は、ちょっとためらっていたが、まさにその言葉を口にした。

「でも、ジゼールさんて、なにしろああしたかたなんですもの。ね？　人おのおの、みんな性質がちがいますわね……ずいぶんいいところも持っておいでですわ。でも、同時に、悪いところも持ってますの……」そして、ふたたびためらってからはっきり言った。「たとえば、あの人、あまり打ちとける人ではありませんのね」

「ジゼールが？　あんな率直な目つきをしていて！」

アントワーヌは、最初、反対する身ぶりをしてみせずにはいられなかった。だが、考えてみると、ジェンニーが何を言おうとしているのかもわかりかけていた。たしかにジゼールは、隠しだてする気持ちでなしに、好んでその気持ちを見せずにおくような女だった。自分の好ききらいをはっきり口に出さないというような女だった。彼女は、議論をおそれていた。いやなことでも口に出さず、いっぽう、自分のきらいな人たちの前でも、わけなくほほえんでみせられ、愛想よく見せられる女だった。臆病と言おうか、きまりわるさと言おうか、それとも隠しだてと言ったものか？　むしろ、彼女の血管の中をいくらか流れている黒人特有の本能的な二重人格――長いこと抑圧されていた種族に見られる生まれながらの防御心理とでもいったものか？　つまりは《生まれながらの奴隷の女！……》

アントワーヌは時をおかずに言いなおした。

「いや、わかるよ、わかるよ」

「わかっていただけると思いますわ。とてもあのかたが好きでいながら、毎日仲よく暮らしていながら……それでいて……どうしてもあのかたと話しあえないことがあるんですの……」そう言いながらからだを起こして「ぜったいに！」

そして、話にくくりをつけるといったように、彼女はさっとドアをあけた。

「では、お食事にいらしって！」

九

食卓は、家の外、台所のポーチのかげにととのえられていた。

昼食ははやくすんだ。ジェンニーにはほとんど食欲がなかった。アントワーヌは、食事まえに手当しておくひまがなかったため、食物をのみこむのが苦しそうだった。ダニエルだけが、クロティルドの料理した軟骨《グリスル》とグリーン・ピースに夢中になっていた。彼は、無感覚な、うわのそらのようすで、何も言わずにたべていた。だが食事の終わりに近く、アントワーヌが、リュメルや《銃後応召の連中》について何か非難めいたことを口にしたとたん、ダニエルはとつぜん、いままでの沈黙を破ったと思うと、《戦時利得者》のために熱心な弁護をはじめた《ああした連中だけですよ、戦争を人間らしく利用できたのは……》。そして、彼はその一例として、皮肉な礼賛の気持ちをこめながら、かつてのパトロン、《あの天才的な女ぬすっとのリュドウィクスン》の打った手のことを話しだした。リュドウィクスンは、戦争の初めからロンドンに腰をすえていたが、人の言うところでは、シティー(ロンドン市の商業、金融の中心区域)の銀行家連や政治屋どものあやしげな援助のおかげで、有限責任燃料株式会社——有名なS・A・Cというやつを創立し、いくたびとなく、その財産を何層倍かにしてのけたということだった。

この四年間にとても変わってしまったジェンニーのからだつきにおどろいたアントワーヌは、《そうだ、もう少しすると、おどろくほど母親そっくりになるだろう》と思った。母親になり、子供に乳を飲ませるようになったため、彼女の腰のあたり、乳のあたりには肉がつき、首筋もふとくなっていた。だが、そうまでからだが重くなってはいても、それは不愉快な感じを起こさせるようなものではなかった。それは、彼女のものごしや顔だち、それにいささか冷たい表情の中にいまものこっているプロテスタントふうないかつさをやわらげてさえいたのだった。ただし、眼差しだけは昔のとおりで、そこには孤独と、静かな勇気と、悩みの表情が見られていた。それはかつて、彼女の兄とジャックが家出をしたおり、はじめて少女のころの彼女に接したアントワーヌの心をはげしく引きつけた眼差しにほかならなかった……《だが、何にしても》と、アントワーヌは思った。《いまの彼女は、自分の柄にずっとはまっているといった感じだな……ジャックのやつ、どうしてあれほど彼女に引きつけられたというのだろう……かつての彼女は、なんとも不愉快な存在だった！　はにかみと傲慢さとが、じつに落ちつかない混合を見せていた！　それにあの氷のような他人行儀！　少なくもいまの彼女は、自分というものを少しでも他人にしめすため、かつてのように、えらい努力を必要としているようには見うけられない……けさだって、彼女はすっかり打ちとけて話してくれた……そうだ、おれにたいしてのけさの彼女は、まさに完璧ともいうべきだった……そうだ、彼女には、いつになっても、その母親に見られるようなしとやかさとか、おだやかさは見られまい……そうだ、ああした取りすましたようすの中には、いつになっても〈わたし、人にどう見られようなんて思っていません。人によろこばれようなんて思いませんの。わたしだけでたくさんですの……〉とでもいったようなところが見られるにちがいない……だが、人さまざまで好みもまちまち。いろんな女もあっていいだろう。だが、断じておれの好みじゃないな……だが、それはそれとして、彼女はたしかによくなった》

昼食がすむやいなや、アントワーヌは、ジェンニーといっしょに、病院にフォンタナン夫人をたずねることになっていた。

ダニエルが、ふたたび長椅子に身を横たえ、コーヒーを飲んでいたあいだに、ジェンニーは、ジャン・ポールを起こしに行った。そして、アントワーヌも、その間に自分の部屋へあがって行き、大いそぎで吸入をやった。彼は、きょう一日、疲れるであろうことをおそれていた。

ジェンニーは、いつも自転車で出かけることにしていた。彼女は、帰りのために自転車を取りだした。そして《庭》をぬけて、アントワーヌといっしょに出かけた。

「ダニエル君はずいぶんかわったようだな」ふたりが庭を横ぎり、並木道のところまで行ったとき、アントワーヌは思いだしたように言った。「ほんとかしら、もう何もしようとしないって？」

「何ひとつ！」

その言葉には非難のちょうしがこめられていた。午前中、そして食事のあいだ、アントワーヌは、兄と妹とのあいだに、何か割りきれない感情のかげをみとめていた。かつてダニエルが、ジェンニーにたいして親切だったことを思いだすにつけても、アントワーヌはおどろかずにはいられなかった。そして、そのほうにかけても、彼がだらしなくなったのではないかと考えずにはいられなかった。

ふたりは、しばらくのあいだ、何も言わずに歩きつづけた。萌えだしたばかりの菩提樹のしげみが、光の斑点の撒き散らされた影を落としていた。それらの老樹のかげにいると、たとい空は澄みわたっていても、空気は、まるで雨のまえといったように、重く、しっとり落ちついていた。

「におう?」と、アントワーヌは顔をあげながら言った。庭の柵をこえて、花の咲いたリラの垣がにおっていた。

「自分さえその気になったら、病院ではたらけもするはずなんですわ」と、ジェンニーは、リラのことなど気にもとめずに言った。「ママも、これまでに何度か、そうするように言いましたの。ところがあの人の返事は《なにしろ義足ですからね。何をさせてもだめですよ!》でも、それはほんの口実にすぎませんの……」彼女は、ハンドルを握った手を持ちかえて、アントワーヌのそばに身をよせた。「ほんとうは、あの人は、どんなときにも、人のためにたいしたことのできるような人ではなかったんですの。そして、それがこのごろ、とりわけひどくなっていますの」

《こいつは酷だな》と、アントワーヌは思った。《子供を見ていてもらうだけでも、ありがたく思っていいはずなのに》

ジェンニーは、しばらく口をつぐんでいたあとで、けわしいちょうしで言いきった。

「あの人は、社会的意識を少しも持っていませんの」

これは、思いもかけない言葉だった……《何から何まで、ジャックにむすびつけようとしている》と、いらいらしながらアントワーヌは思った。《ジャックの立場から、兄をさばいているんだ》

「でもねえ」と、アントワーヌはさびしそうに言った。

「自分を不具者だと思っている人は、たしかに同情に価すると思うな……」

ジェンニーは、ただダニエルのことしか考えなかった。そして、はげしいちょうしで言いかえした。

「あの人、戦死していたかもしれないのに！ いまさらなんの不服があるんでしょう？ こうして生きていられるのに！」

彼女は、自分の冷酷さを意識しないで、時をおかずにこう言った。

「足ですって！ それもちょっとびっこを引いている程度……病院の会計でもして、ママのおてつだいをしようと思えば、やってできないことがあるもんですか！ それに、たとい大衆のためにお役に立つ気がないにしても……」

《これも、ジャックゆずりの言葉だな》と、アントワーヌは思った。

「……せめて、絵を描くことぐらいできないことはありませんわ……ええ、これにはほかに理由がありますの。それは、健康の問題ではなくって、あの人の性格の問題ですの！」彼女は、興奮の結果、自分でもそれと気づかずに足を早めていた。アントワーヌは息切れがしてきた。気のついた彼女は歩度をゆるめた。「あの人は、いつもあんまり楽を見すぎていたんです……なんでも思いどおりにならないはずはないと思っていたんです！ ところが今日、あの人は、自分の見栄から、ばかばかしい苦しみをしてるんですわ。庭から出ようともしなければ、パリへ行ってみようともしないの。なぜでしょう？ 人前に出るのが気はずかしいからのことですわ。昔のような《成功》はあきらめなければならない、昔のような生活――いい子の生活、だらしのない生活、戦争まえの不道徳な生活などはできないという決心がついていないんですわ！」

「こいつはなかなか手きびしい！」

彼女は、微笑をしているアントワーヌの顔をじっとながめた。そして、微笑の消えるのを待って、きっぱりしたちょうしでこう言った。

「わたし、ジャン・ポールのために心配なんですの！」

「ジャン・ポールのためにって？」

「ええ！　ジャックさんは、わたしにいろいろなことを教えてくれました……いま、ここにいると、わたし息がつまりそうになってきますの。ここはもう、わたしのいるべきところではありませんの！　そして、ジャン・ポールが、こんな空気の中で大きくならなければならないなんて、とてもがまんできませんの！」

アントワーヌは、よく聞こえなかったとでもいうように、上半身をちょっと立てた。

「わたし、あなたをご信用していればこそ、こうして何から何までお話ししますの」と彼女は言った。「いずれそのうち、お知恵を借りなければならないことができてきますもの……わたし、ママをとても愛しています。ママの勇気、そのりっぱな生活には、すっかり感心していますの。ママがつくしてくれたことは、何から何まで忘れません……だからといって、いったいどうだというんでしょう？ふたりとも、何ひとつ共通な考え方が持てなくなっているんですもの！　どんなことでも！……たしかにわたし、一九一四年時代のわたしではなくなっていますわ。でも、ママにしても、あれからずいぶん変わっています！……この四年というもの、ママは病院の采配をふっています。四年というもの、取りしまったり、決裁をしたり。することといったら、人に命令したり、人に立てられたり、人を使うことばかり……こうして、ママは、高びしゃに出るということのたのしさをおぼえました。ママは……いずれにしても、ママはたしかに、昔のママではなくなりましたわ！……」

アントワーヌは、信じられないといったような、あいまいな身ぶりをした。

「ママは、どんなことでもゆるす人でした」とジェンニーは言葉をつづけた。「とても信仰の深いママでいながら、自分の見方を他人におしつけるようなことはぜったいしない人でした！……それが今日では！……患者たちへのお説教をお聞かせしたいほどですわ！……そして、ねこっかぶりのものだけが、静養の名義で、長くいさせてもらっていますの……」

「これは手きびしい」と、アントワーヌはくり返した。「むちゃすぎるな」

「おそらく……そう……こんなことを何から何までお話ししてはいけないのかもしれませんわ……さあ、どうしたらわかっていただけるかしら……ええ、たとえばママは、フランス人については《兵隊さん》と言っていながら……敵にたいしては《ボッシュ》（ドイツ兵を憎悪しての呼び方）って言っていますの……」

「ぼくたちにしてもおんなじさ！」

「ちがいますわ。その言い方がちがうんですの……この四年間、愛国心の名にかくれてなされた残虐行為を、ママは大目に見ていますの！　それを認めさえしているんですの！　連合国側の言い分だけが、清らかで、正しいものだと思いこんでいるんですの！　ドイツをたたきつけてしまうその時まで、戦争をつづけなければならないって言ってますの！……そして自分とちがった考え方の人はフランス人じゃない……戦争の真の原因を考えようとする人たちや、すべての責任が資本主義にあると考えるような人たちは、すべて……」

アントワーヌは、びっくりしながら彼女の言葉を聞いていた。こうした打ちあけ話によってしめされたジェンニーの気持ちなり、世界観なり、また、いまはなきジャックの影響によって彼女が考えるにいたった新しい価値標準なり、それはフォンタナン夫人の性格の激変以上に、アントワーヌの注意を引いたのだった。彼女のほうこそ《ジャン・ポールのために心配だ！》と、口に出したいところだった。すなわち、こうしたジェンニーの思想発展（それは、彼の目から見れば、かなり不自然な、かなり皮相なもの以外のなにものでもなかった）、それこそは、ジャン・ポールの周囲に、何か危険な空気をかもしだすことになりはしないだろうかと不安になってきたのだった。それはたしかに、このおさない頭脳の発育によって、ダニエルおじのしめす遊惰な手本、ないし祖母によってしめされる近視眼的愛国主義以上に、さらに危険なものにちがいなかった……

ふたりは、日のあたっているロン・ポワン（円形広場）のところに出た。そこからは、チボー家の別荘の入口が見えていた。アントワーヌは、われ知らず放心したような気持ちで、遠い昔の、まるで先の世の生活の中で知っていたとでもいうようなあたりのようすをながめまわした……

だが、すべては昔のままだった。両側に歩道のあるひろい並木道、その突きあたりには、堂々として城館が見えていた。小さな広場のあたりには、円形の水盤、日曜ごとに水を出す噴水、しばふの花壇、それをかこんではつげの木立、白い木柵などが見えていた。父のつくらせた庭の木々が低く枝をたれているかげには、子供のころのジゼールが、彼の来るのをうかがっていた裏木戸さえも見えていた。ここでは、どこを見わたしても戦争らしさがうかがえなかった……

ジェンニーは、広場にさしかかろうとして立ちどまった。

「ママは、ここ三年以上も、来る日も来る日も戦争の苦しさと顔をつきあわせて暮らしていますの……そしていままでは、それから何の感動も感じていないらしいんですの。ああした腹のたつような仕事のおかげで、それほど感じがにぶってきていますの……」

「看護の仕事？」

「ちがいます」と、彼女はにべもなく言ってのけた。「仕事といっても、それはただ、も一度殺しあいに行かせるため、若い人たちをみとってやったり、なおしてやったりするだけの仕事！　も一度闘牛場《アレーナ》へ駆り立ててやるため、闘牛士の馬の裂けたお腹を縫いあわせるというだけのこと！」彼女は顔を伏せた。そして、そう言ったあとから、さも気がとがめるといったように、とつぜんアントワーヌのほうをふり向いた。「お気にさわりました？」

「なあにちっとも！」

彼は、この《なあにちっとも》という言葉が、きわめて自然に口に出たことにわれとわが心の中でびっくりした。彼は、自分のいまの気持ちが、フォンタナン夫人の愛国思想から無限に遠く、むしろジェンニーの非難や憤慨に近いものであることにおどろいていた。そして、彼は、ジャックのことを思いながら、あらためて心の中でくり返した。《いまだったら、もっと理解してやれるんだろうに！》

ふたりは、いま、鉄門のところにさしかかっていた。ジェンニーは、ほっとためいきをついた。ふたりの散歩も、ここまでだと思うと残念だった。彼女は、親しみをこめて微笑して見せた。

「うれしかったわ……こうして偶然、すっかり打ちあけてお話ができて……」

＋

飾りのついた別荘の鉄門（そこには、時の力によっていささか金色がはげかけてはいたが、ものものしいO・Tのモノグラムが見られていた）は開かれていた。路上には、病院自動車の往来が何本ものわだちのあとをきざんでいた。そして、そこにはもはや、かつてチボー氏が毎日かきならさせていた玉じゃりも見えなかった。開かれているといえば、別荘のほとんどすべての窓もあけ放されていた。そして、木の枝をとおして、日に照らされた別荘の正面が、赤いしまのはいった新しい日よけで陽気にかざられているのが見えた。

「ここが、下着がかりのわたしの職場」以前、車置場だったところの入口にさしかかったとき、こうジェンニーが言った。「ここでお別れしますわ……ヴェランダをつっきって、右手の事務室にはおいりになるの……ママはきっとそこにいますわ」

ひとりになったアントワーヌは、息をつこうとしてしばらく立ちどまった。その眼差しのそそがれているひとつひとつの茂み、ひとつひとつの道の曲がりかどが、彼にはたちまち親しみぶかいものに思われてきた。ときおり思いだしたように聞こえてくるピアノの音が、とつぜん彼の心に昔のことを思いださせた。背中におさげをたらしてピアノの椅子の上にちょんと腰かけていたジゼール、そうした彼女に、命令するかのようにリズムをきざむメトロノームとおばさんからの二重の監視をうけながら、おぼつかなげに音譜をたどっていたジゼール……

茂みをとおしては、別荘の前に、とてもにぎやかな騒ぎが見られていた。略帽をかぶり、ねずみいろのフラノ服を着た若い兵士たちが、入口の石段にずらりと並んで、日なたぼっこをしながら何かしゃべっていた。ほかの者たちは、庭園用のテーブルのまわりに集まって、トランプをやるか、新聞を読んでいた。上着をぬぎ、軍服の青いズボンと巻きゲートルすがたのふたりの兵士が、しばふの草を刈っていた。そして、アントワーヌの耳には、芝刈り機械のたまらないきしみがはいってきた。向こうのほう、ぶなの木かげでは、五、六人の快癒期にある患者たちが、古風な樽遊《ジュ・ド・トノー》びをかこんでわいわい言っていた。そして、ブロンズの蛙にぶつけられる円盤の音が鳴っていた(ブロンズの蛙の口に金属製の円盤を投げこむ遊び)。

見なれない軍医の近づく姿を見て、石段の上に寝そべっていた連中は、起きあがって軍隊式の敬礼をした。アントワーヌは、石段をあがって行った。ヴェランダは全部ガラス張りになっていた。それは、温室といったようにしめきられて、暖かいウィンター・ガーデンになっていた。そこへは、病状からいってまだ外出をゆるされない患者たちが身を横たえに来ることになっていた。左手のほうに、ピアノがあった。それは、古風な明るい色をしたくるみ材のピアノで、子供のころのジゼールが、そこでいつも練習していたものだった。ひとりの兵士が、キーの前にすわって、たどたどしい指先で『マドロン』（第一次欧州大戦中、大いに流行した俗謡）のくり返し《リフレイン》をひいていた。

ピアノの音がやんだ。そして、それをひいていた兵士は、通りかかった軍医殿に敬礼しようとして手をあげた。アントワーヌは、客間の中へはいって行った。この時刻、そこには人かげも見えなかった。まるでホテルのホールといったようだった。安楽椅子や椅子が、トランプ用の四つのテーブルをかこんでおかれていた。

チボー氏の書斎のドアはしまっていた。画鋲でとめた厚紙の上には《事務室》という字が書かれていた。アントワーヌははいって行った。最初のうちは、誰の姿も見えなかった。部屋の中には、かつての家具がそのままだった。大きな樫のテーブル、安楽椅子、書棚などが、かつてのところにおごそかにおさまりかえっていた。だが、書斎はついたてで二つに仕切られていた。ドアのあく音をききつけて、タイプライターの音がはたとやんだ。そして、ついたての上から、若い秘書の顔がのぞいた。来客の顔を見わけるやいなや、その秘書はうれしそうな声で叫んだ。

「先生！」

とまどいしたアントワーヌは、微笑して見せた。じつのところ、彼には、自分のほうへやって来る青年の顔にぜんぜん見おぼえがなかった。だが、それはルルーにちがいなかった。すなわち、ヴェルヌイユ町のふたりの孤児の、その年少のほうの少年、彼がかつて腕の腫瘍を手術してやった少年だった。（彼は、戦争のはじめ、パリを離れるにあたって、そのふたりの少年を、クロティルドとアドリエンヌにたのんでおいたのだった。彼は、フォンタナン夫人が、ふたりを病院でつかってやることにしたとか聞いたのを、はっきりとではないが思いだした。）

「大きくなったなあ」と、アントワーヌは言った。「いくつになるね？」

「二十年度（一九二〇年度召集適齢者）です」

「で、ここでは何をしているんだね？」

「最初は郵便係をやっていました。いまは、書記のほうにまわっています」

「そして兄さんは？」

「シャンパーニュにいます……お聞きでしたろうか、兄きは負傷したんです、手に。一九一七年の四月、フィーム付近の戦闘で。ごぞんじですか？……兄きは、一九一六年に応召しました……ここの指を二本切りました……運がいいことに、左手でした……」

「そしてまた前線へ出かけたのかね？」

「でも、そこは抜けめがありませんでした！　気象観測班のほうにまわしてもらったんです……これで、命だけはだいじょうぶです」ルルーは、きのどくだというような注意をこめてアントワーヌのほうをながめていた。そして、最後に、つぶやくようにこう言った。「毒ガスにやられたんですか？」

「そうなんだよ」と、アントワーヌは答えた。彼は、自分に子供のころを思いださせる、金色のくぎの打ってある真紅なビロード張りの小さな安楽椅子をみつめていた。そして、そこへ行くとぐったりしたように腰をおろした。

「毒ガスはいけませんね」と、ルルーは、顔をしかめて見せながら言った。「それに卑怯で……法規違反です……」

「フォンタナン夫人はお留守かね？」と、アントワーヌが言葉をはさんだ。

「上にいらっしゃいました……ちょっとお知らせして来ます……新しい患者がやって来るので、ほうぼうの部屋にベッドを入れさせているんです」

アントワーヌは、ひとりになった。父とさし向かいでのひとりだった。たくましいチボー氏の面影は、まだこの部屋を離れないでいた。それはひとつひとつの物から、またそれらひとつひとつの物が一定の用途に応じておかれている場所から感じられていた。――銀のふたのついたインキ壺から、卓上用のランプから、ブロッティング・パッドから、ペンふきから、壁にかかった時計から。その執拗な面影は、家具の位置を変え、ついたてを立てたくらいでは、とても消すことができなかった。それは、およそ半世紀の長きにわたり、その厳然たる威容でいっぱいにしていたこの部屋に、頑としてその根をおろしていた。アントワーヌは、槲材《かしわ》まがいのドアに目をそそいだだけで、それが、落ちついた、陰険な、それと同時に荒々しい――なんとも忘れられないちょうしであけ立てされる音をいまも聞く思いをした。敷物のすりきれているあとを見るにつけても、彼はたちまち、モーニングのすそをなびかせ、目を半眼に開いたまま、むくんだ大きな手を腰のあたりにがっしり組み、書棚と暖炉のあいだを、おもおもしい足どりで行ったり来たりしていた父の姿を思い浮かべた。そして、ボナの筆に成るキリスト像の複製をしばらくながめ、またその下のあたり、皮に頭文字が二つ、組みあわせておされている主なき安楽椅子を見ただけで、たちまちそこに、ずっしりとしたチボー氏の姿——肩をまるめ、こうるさい来客のほうへあごひげを向け、どっかり椅子にからだをうずめているチボー氏の姿、そして、何か話しだすときには、まゆげのあいだの鼻眼鏡をはずし、まるで十字を切るといったように、うやうやしく、落ちついたようすでそれをチョッキのポケットにすべりこませるチボー氏の姿を思い浮かべた。

ドアの錠の鳴る音に、アントワーヌは立ちあがった。フォンタナン夫人がはいって来た。

夫人は、看護婦たちとおなじように、ブルーズを着ていた。ただ、そのすっかり白くなった髪の上に、ヴェールだけはかぶっていなかった。顔は、色つやがわるく、肉が落ちていた。《心臓病患者の顔色……》と、アントワーヌは機械的に考えた。《とても長生きできそうもないな……》

夫人は、彼の両手をとって、腰をかけさせた。そして自分は、大テーブルの向こう、頭文字のついた安楽椅子に行って腰をおろした。あきらかに、この《異端者《ユグノート》》は、いつもそこに腰をかけているにちがいなかった。……《もしおやじが生きてかえってきたとしたら……》

夫人はすぐに、彼の健康についてたずねはじめた。しばらく待っていたあとなので、彼は落ちつきをとりもどしていた。彼は微笑をもって夫人に答えた。

「ずっと戦線にいましたら、とっくに死んでいましたろう……さいわい、ぼくはしんがしっかりしていますから……」

こんどは彼が、病院のこと、そこでの夫人の生活のことについてたずねた。夫人はたちまちいきおいづいた。

「わたしには、なんの取りえもありませんの……ただ、とてもすばらしい人たちがいてくれましてね。そして、ニコルが采配を振っていてくれます。ご承知のように、あの子は全部の免状を持っていまして。とてもよくやってくれています……ええ、とてもすばらしい人たちばかり！　それに、その誰も彼もが、メーゾンに家のある若いおかみさんや娘さんたちなので、この家全部の部屋が患者たちにあてられています。それに、そうした看護婦さんたちがいっしょうけんめいやってくれていますので、少ない手当で収支を何とかつぐなっていけていますの。とても助けてもらっています！　ずっと、この仕事の最初から、土地のかたがたの親切といったら！　ベッド、洗面器、皿小鉢、シーツ類、必要なものは何から何までご近所のかたからいただきました！　それにまた、新しい患者たちがやって来ることになっていまして……ニコルとジゼールは、寝具を集めに出かけました。たりないものは、ちゃんと手に入れてくるんですわ！」目を高くあげ、感激にあふれた勝利の微笑を浮かべているところは、まさに、主が、この世界を、とりわけメーゾン・ラフィットを、世話ずきな人たちや同情心の厚い人たちで満たしていてくださることを感謝してでもいるようだった。

夫人は、これまで別荘に加えてきた模様がえのこと、また、これからさきも加えていこうと思っている模様がえのことをくわしく説明した。戦争にしても、彼女の生活にしても、それがいつかは終わるであろうことなど、ぜんぜん考えていないようだった。

「ご案内いたしましょう！」と、快活に夫人が言った。

なるほど、何から何まで模様がえをされていた。玉突き室は医務室に、配膳室は診察室に、浴室は包帯室になっていた。暖房の行き届いているオランジュリ（柑橘類のための温室）は、十二台のベッドを楽にすえた病室になっていた。

「上へまいりましょう」

この時刻、人かげの見えない部屋のおのおのは、すべて小さな寝室だった。二階に十五名、三階には十名の患者。そして、屋根裏に近い部屋には、十二台の補助ベッドが、立てこんだときのためにすえられていた。

アントワーヌは、昔の自分の部屋を見たい気持ちにそそられた。だが、そこには鍵がかかっていた。そしてこれから消毒されることになっていた。部屋には、パラチフス患者がはいっていて、それがけさ、サン・ジェルマン病院に移されたばかりということだった。

フォンタナン夫人は、いかにも経営者らしい威厳を見せて、ひとつひとつの部屋のドアをあけ、抜けめのない目つきでちらりと監視の目を光らせ、通りすがりに洗面器が清潔であるかどうかをたしかめ、ラジエーターの温度、テーブルの上に散らばっている本や雑誌の題までしらべて、部屋から部屋へと移って行った。夫人はときどき、癖とでもいったように、手首をあげては時計を見た。

アントワーヌは、いささか息を切らしながらそのあとにつづいていた。頭の中を、クロティルドの

言った言葉が駆けめぐっていた。《もし、おなくなりになった旦那さまが！……》

三階まで行った夫人が、彼を、花模様の壁紙を張り、マロニエのこずえに向かって窓をあけている部屋に案内しかけたとき、彼ははっと思い出に胸を突かれて、そこの戸口で立ちどまった。

「ジャックの部屋……」

夫人は、おどろいたようすで彼をながめた。そして、その目はたちまち涙にあふれた。夫人は、それを取りつくろおうとするかのように、窓をしめに歩みよった。つづいて、こうした思いがけないきっかけから、さらに打ちとけての話がしたくなったとでもいったように、

「これから、馬屋のところのわたしの離れにご案内いたしますわ。そこが、わたしの大本営。あそこでしたら、ゆっくりお話ができますから」

ふたりは、何も言わずに階段をおりた。ふたりは、ヴェランダを通らず、勝手口から庭に出た。日かげのところで、四人の兵士が、鉄製のベッドを白い色に塗りかえていた。フォンタナン夫人は、兵士たちのそばへ歩みよった。

「いそいでやってね……あしたまでに乾かないとこまりますから……それからロブレさん、そこからおりて！」（ひとりの男が、台所のひさしの上にあがって、牡丹蔓《ぼたんづる》の茎を結んでいた。）「おとといまで寝ていた人が、もうはしごにのぼったりして！」すでに国民軍に編入されているらしい、あごひげをはやしたその男は、微笑しながら夫人の言ったとおりにした。男が下におりるやいなや、夫人は男のほうへ歩みよって上着のボタンを二つはずし、その脇腹にさわってみた。「そうら、包帯がゆる

んでいますわ。医務室へ行って見せてくるのよ！」そして、アントワーヌの前で、「この人、手術をしてから、まだ三週間にもなりませんの！」

ふたりは、かつての馬屋まで行くために、しばふのまわりをぐるりとまわった。途中で行き会う患者たちは、フォンタナン夫人のほうへ笑顔を向け、そして、地方民のように略帽を取ってあいさつした。

「わたしの住まいはこの上ですの」夫人は、離れのドアをおしながら言った。

階下には、かつて馬屋だったところに、仕事台がいくつもすえられていた。そして、ゆかにはくずが散らばっていた。

「みんなは、ここをがらくた工場と言っていますの」夫人は、むかし御者の住まっていた部屋へ通じる、風車小屋めいた狭い階段をあがって行きながら説明した。「いまではもう、どんな仕事でも、外に出すことがありませんの。みんながなんでも修繕してくれましてね。鉛管工事でも、建具仕事でも、電気工事でも……」

夫人は、アントワーヌの先へ立って、三つある屋根裏部屋の一つにはいって行った。夫人はそこを、個人用の小さな事務室にあてていた。家具といっては、庭園用のアーム・チェアが二脚、それに、書類や帳簿類をいっぱいのせたテーブルが一脚。タイル張りのゆかの上には、すりきれたマットが敷かれていた。アントワーヌは、部屋にはいるなり、そこのテーブルの上に自分のランプのおいてあるのに気がついた。緑いろの厚紙のかさのかかった大きな石油ランプ。彼は、かつてその下で、家中が寝静まった時刻、蛾の声のうるさい六月の暑い毎晩、いろいろ試験準備をしたものだった。壁は、白しっくいでさわやかに塗りかえられていた。そこには、何枚かの写真がピンでとめられていた。もたれのついた安楽椅子の背に片手をかけ、からだをそらして写っている青年時代のジェローム。イギリスの水兵姿で、すねをむき出しにしているダニエル。髪をおさげにし、突き出したこぶしの上に飼いなれた鳩をとまらせている少女時代のジェンニー。それにまた、喪服すがたで、子供をひざにのせている若妻としてのジェンニー。

せきこんできたアントワーヌは、すすめられるのも待たずに、そこにあった椅子に腰をおろした。そして、顔をあげると、自分を注意ぶかく見まもっているフォンタナン夫人の目に気がついた。だが夫人は、彼の健康状態のことについて何ひとつ問いかけようとしなかった。

「おいでくだすったのをいいしおに、少し繕いものをさせていただきますわ」夫人は、そう言いながら、ちょっと蓮っ葉に笑って見せた。「縫い物をするひまさえありませんの」彼女は、テーブルの上にあった黒いバイブルを押しやると、そこに縫い物のかごをのせた。そして、またもや時計をちょっと見たあとで腰をおろした。

「ダニエルからちょっとお聞きになりました? 足をお見せしましたこと?」夫人は、ためいきをおさえながらこうたずねた。(ダニエルは、その切断した足を、一度も夫人に見せなかった。)

「いや。だが、ずいぶんつらかったという話は聞かされました……わたしは、なれる練習をするようにすすめておきました。ちょっとがんばってやりさえしたら、りっぱな結果が得られます。……もっとも、彼自身も、あの器械をつけてから、ほとんど歩くのに苦労しないことを認めていますが」

夫人は、耳をかしていないようだった。そして、両手をスカートのくぼみにおき、顔を窓のほうへあげながら、夢みるような眼差しを、庭の茂みのうえにあそばせていた。

とつぜん、彼女はくるりと向きなおった。

「あの子が負傷した日、ここでどんなことがおこったか、あの子がお話し申しましたかしら？」

「ここで？……いや……」

「主が、お知らせくださいましたの」と、夫人はおごそかなちょうしで説明した。「ダニエルが負傷したとき、主のお知らせがありましたの」彼女は、かるく手をあげ、そして思いがみだれたように口をつぐんだ。やがて夫人は、なにげなくとりつくろいながら、ちょっと荘重なちょうしをひびかせながら（まるでバイブルの一ページをそらんじでもするように——同時にまた、人々の前に奇跡のあかしを立てることが自分の義務ででもあるかのように）、次のように言葉をつづけた。「それはちょうど木曜日のことでした。わたしは、しらじら明けのころに目をさましました。わたしは、主が目の前にいらっしゃるのを感じました。そしてお祈りをしようと思いました。ところが、とてもからだぐあいが悪くって……病院をはじめてから、からだぐあいが悪いと思ったのはそれがはじめて。そして、それから後もぜったいに……わたしは、夜の当直看護婦をよぶために、窓をあけに行こうとしたんでした。おりよく、わたしがいつものように出て行かないのを見て、看護婦のひとりが見に来ました。そして、ベッドの中で身動きできずにいるわたしを見つけました。からだを起こしてはみたものの、たちまち目まいがして倒れました。まるで、傷口から血が出きったとでもいうように、力がなくなっていたんでした。わたしはたえずダニエルのことを思っていました。わたしは祈っていました。ところが、午前中、からだぐあいはますます悪くなるいっぽう。ジェンニーが、幾度かお医者さまをつれて来ました。エーテル・シロップを飲まされました。ほとんど口がきけませんでした。ところが十一時半、昼食を知らせる最初の鐘がなってまもなく、わたしは自分でもそれと知らずに叫び声を立てたのでした。そして、ちょっとのあいだ、気を失ってしまいました。だが、すぐさまわれにかえったとき、まえより気分がよくなっていました。とても気分がよくなって、夕方になると、起きあがり、事務室へおりて、報告書や郵便物にサインすることさえできるようになっていました。たったそれだけですみましたの」夫人は、抑揚をつけない、すこし控えめなちょうしで話していた。そして、言葉をきってから話しつづけた。「ところが、ちょうどその木曜日の夜の引き明けに、ダニエルのいた連隊に突撃命令が出たのでした。朝のうち、あの子は、なんの手傷もうけずに、とてもはなばなしく戦いました。ところが十一時半ちょっと過ぎに、砲弾の破片で太もものところをくだかれました。十一時半ちょっと過ぎ……救護所にかついで行かれ、つづいて野戦病院に運ばれ、何時間かの後には足を切断されてしまいました。おかげで命だけは助かりました……」夫人は、じっとアントワーヌの顔を見ながら、幾度か首をゆすって見せた。

「もちろんそれは、その後十日ばかりしてはじめて聞かされたことなんですけど」

アントワーヌはなにも言わなかった。またなにが言えただろう?……この物語は、彼をして、また子供のころのジェンニーの脳膜炎のこと、またグレゴリー牧師が横合いから《奇跡的》な手を打ったことなどを思いださせた。彼は同時に、フィリップ博士が、おりおり微笑を浮かべながら口にしていた言葉をも思いだした。《人おのおの、その人相応の経験をもってるものさ……》

フォンタナン夫人は、しばらくのあいだ黙りこんでいた。彼女は、仕事を手にしていた。だが、縫いはじめるに先だって、彼女はサックから眼鏡を取りだし、それでジェンニーとジャン・ポールの写真のほうをゆびさして見せた。

「ジャン・ポールのことをどうお思いでしたか、まだうかがっていませんでしたね？」

「すばらしいです！」

「でしょう？」と、夫人は勝ち誇ったように言った。「ダニエルが、日曜日に、間遠にではありますが、ときどきここへつれて来てくれます。そのたびごとに、とても発育が早く、ますますたくましくなっていくのを見ていますの！……ダニエルは、気むずかしい強情な子供でこまると言っていますが、たとい面だましいのある子だったところで、おどろくことはありますまい。それに、なんといっても男の子には、気力と意地とがだいじでしてね……ご反対ではありますまいね？」と、夫人はいじわるそうに言いそえた。「ただ、めったに顔の見られないのが、なんといってもざんねんでして。でも、このわたしは、あの子によりも、患者さんたちにとってずっとだいじなんですものね……」そして、夫人は、まるでしばらく向きを変えていた川の流れがふたたびもとの向きを見いだすとでもいったように、あらためて病院のことを話しはじめた。

黙って聞いていたアントワーヌは、べつに受け答えをしようとも思わなかった。というのは、彼はふたたびせきこむことをおそれていたからだった。夫人は、眼鏡をかけると、急に年寄りじみたように見えた。《心臓病患者の顔色だな》と、アントワーヌは思った。夫人は、からだをまっすぐにして、安楽椅子にかけていた。そして、打ちとけた、と同時に容体ぶったものごしで、ゆるゆる針をすすめながら、病院の仕事の運び、また自分の責任になっている数かぎりない心労の多い仕事のことを話して聞かせた。

《どんなものにも、すたりはない》と、アントワーヌは思った。《戦争は、まさにこうした種類の、こうした年齢の婦人たちに、いままで考えてもいなかったような一つの幸福をあたえたのだ。すなわち、身をささげ、公のために尽くすという機会。感謝の空気につつまれながら、人のうえに立つという楽しみ……》

フォンタナン夫人は、彼の心のうちを見すかしでもしたようにこう言った。

「ええ、わたし、なんの苦情もありません！　ときには、仕事が重すぎるように思われることがあったにしても、いまではもう、それがなければ暮らせないようになっていますの。いまとなっては、二度とふたたび、昔のような生活など、とてもできそうに思われませんわ。いまではもう、自分が何かのお役に立っていると思わずには暮らせないようになっていますの」夫人は、微笑して見せた。「おわかりでして？　そのうちあなたも、患者たちのために病院をお建てにならなければ。そうしたら、わたし、万事切りまわさせていただきますわ！」そして、時をおかずにつけ加えた。「ニコル、それにジゼールさん……それからたぶんジェンニーにもてつだってもらって……もちろんですわね？」

アントワーヌは、まんざらわるい気持ちもせずにおなじ言葉をくり返した。

「もちろんですな」

夫人は、ちょっと黙っていたあとで、

「ジェンニーにしても、何か人生での仕事がほしいだろうと思いますの」とつぜん、夫人はためいきをついた。そして、思い浮かんだことに連絡をつけようともしないで、「かわいそうなジャック……わたし、いちばん最後にあのかたにお会いしたときのことが忘れられませんの……」と言った。

夫人は、ふたたび口をつぐんだ。夫人は動員令のくだった翌日、ウィーンから帰って来たときのことを思いだしていた。だが夫人は、つらい思い出のかずかずをりっぱにはらいのけるすべを知っていた。夫人はそのとき手をあげて、ぱらりとひたいにかかった白い髪をかきあげた。それでいて、夫人は、心にかかるいくつかのことを、アントワーヌに相談しなければと思っていた。

「わたしたち、《至高の英知》を信じなければいけませんわ」と、夫人は話しはじめた。（そこには、やさしいうちにも、《どうか口だしをなさらないで》というような、命令するようなちょうしがうかがわれた。）「わたしたち、主の望んでおいでのことを受けいれなければなりませんわ。ジャックさんがお死にになったことにしても、そうしたことの一つなのでした」夫人は、裁断をくだすまえに、ちょっとのあいだ心を静めた。「あの人たちの恋は、きわめて苦しい結果になるという運命を持っていました。ジャックさんにとっても、ジェンニーにとっても……お許しください、こんなことを申しあげて」

「ぼくもまったく同感です」と、勢いこんでアントワーヌが答えた。「もしジャックが生きていたら、ふたりの生活はまさに地獄だったろうと思います」

夫人は、満足そうな眼差しで、じっとアントワーヌをみつめていた。そして、幾たびか首で同感の意味をしめしながら、ふたたび針を動かしはじめた。

またもや沈黙がつづいたあとで、夫人はすすんでこう言った。

「わたし……そのことで、すこしも苦しまなかったと申しあげたら、それは嘘をつくことになりますわ……ジェンニーが妊娠したとわかったとき……」

アントワーヌは、このことについて、すでに幾たびか夫人のことを思っていた。それだけに、夫人が自分のほうへ目をあげたとき、彼は、まぶたをしずかにしばだたいてみせながら、わかるといった意味をつたえた。

「おお」夫人は、自分の言おうとしていたことが誤解されはしないかとおそれていた。「それは何も……道ならぬ子供が生まれることではないのでした……そう……それはたいしたことではありませんわ……わたしがとりわけ心配したのは、ああしたとんでもないできごとが、わたしたちの生活に、いつまでも尾を引くしるしなり結果なりを残しはしまいかということでした……率直にお話しさせていただきますわね？　わたし、こんなふうに考えました、《これで永遠に、ジェンニーの一生もだいなしになった……罰だ！　これもいまさらしかたがないのだ！》と。……ところがあなた、それはとんだ思いちがいだったのでした。わたしには、信仰が欠けていたのでした。主のおぼしめしは、とてもおしはかることができませんの。そのなさり方は、とてもわたしたちの目には見えないもので、そのお恵みは広大ですの……わたしが、たしかに試練であり、罰であると思っていたものは、じつは主のお恵みというわけでした……おゆるしいただけたしるしでした……それは喜びの源でした……主が、どうしてわたしたちをお罰しになぞなりましょう？　主は、わたしたち以上に、たといあしたことがあったにしても、そこには少しも《悪》のはたらいていなかったこと、ふたりの心がいつも清く、罪をおかしていながらも清浄だったことをごぞんじだったのではありますまいか？》

《なんともふしぎだ》と、アントワーヌは思った。《ほんとうだったら、たまらないほどじりじりしてこないではいられないはずだが……それどころか、彼女のなかには、何かしらいやおうなしに尊敬せずにはいられないようなものがひそんでいる。尊敬、というよりさらに以上のもの……共感といったようなもの……これは、彼女の善良さのためだろうか？……なんにしても、善良ということ、それはきわめてめずらしいものなのだ。真実の、自然な善良さといったようなもの……》

「ジェンニーは、なかなかりっぱにやっていますわ」と、フォンタナン夫人は、針を進めながら、歌でもうたうような、そして、しっかりした声で言葉をつづけた。「あの子はいま、自分のなかに、あの子の一生を高めてくれる宝を持っております。自分をすっかり投げだしてかかったという思い出。目のさめるような瞬間の思い出。しかもその思い出は――これはまったく例外といっていいでしょうが――そのあとに、なさけないと思うような日々を持たずにすんだのでした……」

《なるほどな》と、アントワーヌは思った。《世間には、この世の中をすっかりありがたいものと思いこんでいる連中がいる……そうなるうえは、万事苦もなくはこばれるんだ……人生は、風のない日の舟あそびとでもいったよう。流れのままに――船着場まで――ただ身をまかせていればいいんだ……》

「……そしていま、あの子には、とてもりっぱな仕事がのこされていますの。子供を……」

「すっかり変わっておしまいでした、すっかり」と、アントワーヌは、思いきって言葉をはさんだ。

「とてもおとなにおなりでした……いや、おとなといってはいけないかな……なにしろ、とても……」

フォンタナン夫人は、ひざの上の縫い物をおき、すでに眼鏡をはずしていた。

「わたし、ちょっと打ちあけ話を聞いていただきたいと思いますの。ええ、わたし、ジェンニーはしあわせだと思っております！……そうなのです、いままであの子が知らなかったほど。そして、あの子として、そうなるのが当然のことに思われるほど……なにしろあの子は、しあわせになるようには生まれついてなかったのです。子供のじぶんから、あの子はとてもふしあわせでした。そして、ほかのものには、それをなんともできずにいました。苦しみは、あの子自身の中にあったのですから。さらに困ったのは、あの子の持っていた気持ち。あの子には、自分自身を愛すること、自分自身の中にある、神によって造られたものとしての自分を愛することができずにいました。なさけないことに、あの子には、ぜったい信仰がありませんでした。あの子の心は、あらぬもののためにつかわれている神の宮居にすぎませんでした……ところが、聖霊の奇跡は、わたしたちのなかに、わたしたちの身のまわりに、毎日毎日行なわれております！　あらゆる苦しみは必ず報いられ、あらゆる無秩序、それはすべて大調和へ向かっております……そしていま、天寵がくだったというわけでした。わたしの直感はちがいませんわ。あの子はいま、やもめとして、また母としてのつとめの中に、あの子として得られるかぎりの人間の幸福、あの子の性格として生みだせるかぎりの調和と満足とを見いだしました……そして、わたしには、あの子の中に、いまこそ……」

「おばさま！」と、庭のほうで呼び声が聞こえた。

フォンタナン夫人は立ちあがった。

「ニコルが帰って来ましたわ」

「おばさま、町長さんがいらしってよ」と、その声がつづけた。「おばさまにお話があるんですって」

フォンタナン夫人は、すでに戸口のところまで出て行っていた。そして、アントワーヌの耳には、彼女が階段の上から、こう快活に叫ぶ声が聞こえた。

「ちょっとあがって来て。そして、お相手をしてあげてほしいの……あなたの知ってるお客さま！」

ドアをあけるなり、ニコルははっと立ちどまって、人ちがいではないかといったように、アントワーヌをまじまじとみつめた。

彼は、胸をつかれた感じだった。そして、口ごもるようにこう言った。

「どう、ずいぶん変わってしまったろう?」

ニコルは顔をあからめた。そして、ちょっと困っている気持ちをおさえながら、笑って見せた。

「あら、そんなこと……でも、まさかここに来ていらっしゃるとは思わなかったわ」

ふたりは、まだ顔を合わせていなかった。というのは、彼女は、当直看護婦にまかせておけないチフス患者に付きそって、ゆうべは別荘での晩飯にも帰ってこなかったからだった。

ニコルのほうは、むしろ若くなったといった感じだった。ゆうべ徹夜したにもかかわらず、乳白色の顔色にはいささかのかげりさえ見えなかった。その青い目は、かつての日とおなじように、くらべようのないほど澄んでいた。

アントワーヌは、彼女に夫の消息をたずねてみた。戦争になってから、二度ばかり会っていたのだった。

「あの人の外科自動車班は、いまシャンパーニュ戦線にいるんですの」彼女は、きらきらした眼差しで絶えず身のまわりを見まわしながらこう言った。その眼差しには、少女らしいむじゃきさと、人妻らしい陽気な色っぽさとが、はっきりそれと区別できずにしめされていた。「とても仕事があるんですの……でも、雑誌に書くひまだけはあるんですって……今週も、タイプにする原稿を送ってきました……止血器の使用法について、とかなんとか。そういったような論文でしたわ……」

日の光は、ブラウスの布地が盛りあがりを見せているまるい肩の上をすべりながら、ひとつひとつの身ぶりにつれて、かぶっているヴェールのひだにたわむれ、うぶ毛のはえたあらわな前腕を金にいろどり、微笑を浮かべるたびに、彼女の歯をきらきらさせていた。《若い患者たち、ぞくぞくせずにはいられまいな》こんな考えが、さっとアントワーヌの頭をかすめた。

「きのう帰れなくって残念でしたわ」と、彼女は言った。

「ゆうべはいかが？　ダニエルは、いいきげんにしていましたこと？　打ちとけさせておやりになれた？」

「もちろんさ。なぜ？」

「とても沈んでいるんですもの。とてもふきげん……」

アントワーヌは、同情するような身ぶりをした。

「だって、きのどくなことはたしかだからな！」

「それを引きたたせてあげてやらなければ」と彼女は言った。「も一度絵筆をにぎる決心をさせてあげなければ」その真剣なちょうしから推して、それこそまさに大問題で、その決心をさせるため、アントワーヌの来るのを待っていたとでもいうようだった。「いまのような生活だったらだめですわ。ばかになってしまいますもの。このままだったら……」

アントワーヌは微笑を浮かべた。

「そいつはまったく気がつかなかった」

「そうなのよ……ジェンニーに聞いてごらんなさい……まったくなんとも手がつけられないの……わたしたちの姿を見ると、ぷいと自分の部屋へあがって行くの。無作法というのか、ふくれているのか、そこのところはわからないけど……でないときは、わたしたちといっしょにいながら、何ひとことと口をきこうとしないんですの。客間の空気は、急に冷えびえしてきますの！……あの人がいるんで、みんなとても気づまりですわ……あの人に、仕事をするよう、パリへ帰るよう、いろいろな人に会い、ふたたび生活をはじめるように思いたたせてくだすったら、あの人にとってとても大きな救いだと思うんですけど！」

アントワーヌは、ただ首をふるだけだった。そして、も一度つぶやくように、

「きのどくだな……」と言った。

アントワーヌは、本能的な用心から、警戒せずにはいられなかった。なんと説明していいかわからなかったが、彼女が、口にはださない、何か隠れた考えによって動かされているのだということが感じられた。

（それは、たしかに、ぜんぜん理由のないことではなかったのだ。ニコルは、去年の冬のある晩以来、ダニエルについて、彼女としての考え方を持っていた。その晩、時間もおそくなったので、ジェンニーとジゼールとは、上に寝に行ってしまっていた。そして、ニコルは、何かかたづけておきたい仕事があって、客間の暖炉の前で、ダニエルとふたりきりになっていた。するとたちまち、ダニエルが言った。「ニコ、ちょっとそのまま。動かずに！」そして、あたりに散らばっていた何かの広告の

裏に、鉛筆で、ニコルの横顔のスケッチをはじめた。彼女は、よろこんでそうした思いがけない彼の気まぐれのままになっていた。ところが、しばらくして、何かちょっとした予感を感じて急にふり返ると、描く手をやめたダニエルは、じっと目をすえて彼女のほうをみつめていた。欲情と、暗い怒りと、恥ずかしさと、それにおそらくは憎悪のこめられているたまらない目つき……彼は、はっと目を伏せると、広告の紙を手あらくもみくちゃにしながら、それを暖炉の中にたたきこんだ。そして、物も言わずに出て行った。《やっぱり……》と、ニコルは、打ちのめされたような気持ちで思った。《まだこのわたしを好きでいるんだ》ニコルは、ずっと昔、パリのおばの家に住んでいたころのこと、そのころ少年だったダニエルが、まるで憑かれたもののように、彼女を家のすみずみに追いつめたことをおぼえていた。そうした気ちがいじみた、たわいない恋ごころ、もうずっと以前に消えてしまったものと信じていたのに、ふたりがここで別荘暮らしをはじめると同時に、それがふたたび燃えあがってきたものにちがいなかった……その日以来、ニコルの目には、すべてのことがはっきりしてきた。すべては、ダニエルの恋ごころによって説明することができるのだった。すなわち人ぎらいなところとか、不安らしさとか、ふてているところとか。そして、ぜったいメーゾン・ラフィットを離れようとせず、自分の習慣なり性情なりとまったく反対な、隠遁的な、のらくらした、行ないすました生活をしているところとか。)

「わたしの思っていることをすっかり言ってしまいましょうか?」ニコルは、自分がそれにこだわることが、アントワーヌに、どんなけげんな思いをさせるかには気がつかずに言葉をつづけた。「あなたのおっしゃるとおり、たしかにダニエルはきのどくですわ。でも、あの人の悩んでいるのは、からだの不自由なことだけではないんですの。ええ……女には、ちゃんとそうした直感があるの……あの人は、たしかにもっとほかのことで苦しんでいるのよ。心の中のこと、そして、心を苦しめてやまないことで……おそらく、ままならぬ恋といったようなもの……見こみのない恋愛といったようなもの……」

ニコルはとつぜん、われにもあらず自分の気持ちを語ってしまったのではないかと思ってはっとした。そしてほんのり顔をあからめた。だが、アントワーヌは、彼女を見てはいなかった。彼の目の前を、両手を首のうしろへあて、ぼんやり目をあけ、すずかけの木かげに寝そべりながらチューインガムをかんでいたダニエルのすがたがかすめていった。

「あるいはね」と、彼はすなおにそれに答えた。

ニコルは、安心したように笑いだした。

「なにしろ、あなたもおぼえておいででしょう、あの人の、戦争まえのパリでの生活！……」

彼女は、途中で言葉をきった。踊り場のところにおばさんの足音が聞こえたからだ。

フォンタナン夫人は、書類を一包みかかえていた。

「失礼。ちょっと帰って来ただけですの。すぐまた出かけなければ」……彼女は、いま受けとったばかりの、山なす手紙や事務用の書類を持ちあげてみせた。「毎日、毎日報告で、とてもえらいめに会ってますのよ。当局へ何通となく、届けなければ。で、来る日も来る日も手紙書き。午後の二時間が取られますのよ！」

「ぼくは失礼しましょう」アントワーヌは、そう言いながら立ちあがった。

「では、またいらしってね。ところで、しばらくご滞在になれますわね？」

「だめなんです……あした発とうと思っています」

「あした？」とニコルが言った。

「金曜までに、ル・ムースキエに帰らなければならないんで」

三人は、ぐらぐらする階段をいっしょにおりた。

フォンタナン夫人は、腕時計を見た。

「せめて門までお送りしますわ……」

「わたしは失礼してよ」と、ニコルが叫んだ。「ではまた今晩」


ニコルが向こうへ行ってしまうと、フォンタナン夫人は、歩きつづけながら、落ちつかない声でこうたずねた。

「ニコルからダニエルのことをお聞きになったでしょう？　かわいそうな子ですわ……わたし、一日に幾たびとなくあの子のことを考えますの。あの子のために祈っていますの！……あの子の苦しみ、それはとても深いんですもの！」

「でも、生命に危険のないことだけはたしかですな。目下の場合、それが保証されているだけでもずいぶんたいしたことですからね！」

夫人は、それをわかろうともしないようだった。夫人は、事をそうした角度からながめてはいないのだった。

ふたりは、しばらく黙ったまま歩きつづけた。

「朝から晩までひとりでいますの……」と、夫人は言葉をつづけた。「不自由なからだで、ひとりぼっちで！　自分ひとりで、残念に思いながら、それをほかの誰にも打ちあけずに。わたしにさえ！」

アントワーヌは、その目にあきらかな不審の色を浮かべながら、道のまんなかに立ちどまった。

「あの子が何を感じているか、わかりすぎるほどわかっていますわ」と、おなじような、落ちついた、苦しそうなちょうしで話しつづけた。「ああした、はげしい男らしい性質の子が……しかも自分には、まだありあまるほどの勇気があり、元気のあることがわかっていながら！　そして、目の前に、侵略され……おびやかされた祖国を見ながら……しかも祖国のため、もうなんのお役にも立つことができずに！……」

「そういうふうにお考えですか？」と、思わずアントワーヌが口にだした。まさかそうした説明を聞かされようと思っていなかった彼は、まさかといった気持ちを隠せなかった。

夫人は、ぐっと身をそらした。そして、いかにも飲みこみ顔の微笑が、ちょっと得意らしいような色とともに、口のあたりをさっとかすめた。

「ダニエルが？　事実はきわめて単純ですの。でも残念なことに、どうともしようがありませんの……あの子は、自分にはもう義務をつくせないことを思って、救われない気持ちになっていますのよ」そして、アントワーヌが、まだ必ずしも納得したらしくないのを見ると、おごそかな、一歩もゆずらないといったようすでつけ加えた。

「それはたしかにそうなんですわ、あの子が病院に来るのをいやがるのも、それは、あの子自身が言うように、ここまで来るので疲れるからではありませんの。ええ、それは、あの子とおなじ年ごろ、あの子とおなじように負傷していながら、あしたにもまた戦争に出かけて行ける若い人たち、若い兵隊さんたちのあいだに身をおくことが、身を切られるようにつらいからなんですの！」

アントワーヌはなんとも返事をしなかった。ふたりは、黙って鉄門近くまでやって来た。フォンタナン夫人は立ちどまった。

「いつまたお目にかかれますかしら。神さまだけがごぞんじですわね」夫人は、感動をこめながら、彼をみつめて言った。そして、アントワーヌの出した手を取ると、しばらくそれを両手の中に握っていた。

「では、ごきげんよう」

十一

《誰も彼もが、ダニエルを、まるでなぞのように話している》と、アントワーヌは、広場を横ぎりながら考えていた。《そして、誰も彼もが自分自身の解釈をきかせてくれている……ところが、十中八九、そこにはなんのなぞもありはしないんだ！》

少し疲れてはいたが――だが、それもこの程度であることに驚きもし、それを愉快にも思いながら――彼はゆっくりフォンタナンの館のほうへ向かって歩いて行った。ひとりになれてほっとした感じだった。菩提樹のひろい並木路は、ずっと森のところまでのびて行っていた。すでに低くなった午後四時の太陽は、木々の幹のあいだにさしこんでいて、地上に燃えるような長いしまをつくっていた。アントワーヌは、ときおり、南仏のほこりっぽい街道を思いだしながら、このイール・ドゥ・フランス（古いフランスの地方区画。メーゾン・ラフィットのあるセーヌ・エ・オワーズ県もこの中に含まれる）の春のにおいをこめた、軽い酸味をおびた空気をむさぼるように吸いこんでいた。

だが、彼の考え方は、さみしい一途をたどっていた。こんどのメーゾン・ラフィットでの滞在、それはあまりにも多くの思い出をゆりうごかす結果に終わっていた。チボー家の別荘を訪れたことは、あまりにも多くの亡霊をよみがえらせる結果になったのだった。それらの亡霊は、アントワーヌの心に取りついて離れず、彼は、それをふりはらうことができなかった。あの若かった日のこと、かつて健康だったころのこと……父のこと、ジャックのこと……そのジャックは、このまる一日のあいだに、彼にとってふたたびきわめて身近なものに感じられだしてきていた。彼はこれまで、ジャックのいなくなったことについて、これほどまでに、ぜったいかけがえのないもの、彼にとってただひとりの弟を奪い去られたと感じたことがなかった。そうだ、ジャックが死んでからというもの、ぜったいに、彼はこれほどはっきり、取りかえしのつかないものを失ったと感じたことがなかった。彼は、こうした真剣な絶望を、こうしたむきだしの絶望を、いまになってはじめて感じたことをわれとわが心に責めさえしていた。こんなことが、どうしてあり得たというのだろう？　それには、さまざまな事情、そして戦争……彼ははっきり、リュメルから手紙を受けとったときのことを思いだした。それは、その以後ぜったい希望を持つことをゆるさないところの手紙だった。彼は、その手紙を、ある日の夕方、彼の師団がエパルジュ陣地への出発に先だつわずか数時間まえ、ヴェルダン野戦病院の中庭で受け取ったのだった。もとより彼は、そうした知らせがあるだろうことを予期していた。そして、その晩、彼は、出発のどさくさにとりまぎれて、悲しみに身をまかせるだけのゆとりを持たなかった。引きつづく二週間も同様だった。雨に打たれ、泥濘にまみれながら、次から次への移動。ヴェーヴル高地一帯の小さな部落の廃墟の中で医療事務を確保していくための困難。個人的な心労などを考えていられないほどの疲労困憊の生活。しばらくしてから休息があたえられ、ふたたび手紙を読み返し、リュメルへの返事を書いたときの彼は、そのことをたいして考えずにすごしていたために、弟の死についても、何かしらなれきってしまったといった感じだった。ところがいま、かつての家族生活のわくのなかにふたたびわが身を見いだしたとき、愛惜の思いは、おそまきながらはっきり感じられだしてきたのだった。取りかえしのつかないといった感じが、異常な鋭さで彼の心をとらえて放さなかった。ついそこにある並木のあたり、そこに見られるながめのひとつひとつも、それは心に、数かずの思い出、数かずの遊びを思いださせた。年こそだいぶちがっていたが、ジャックと彼と、ふたりはいっしょに、そこに見られる白い木柵をおどりこえもしたものだった。ふたりはいっしょに、草刈りの時期に先だって、そこに見られる五月の草むらの中を、ころがりまわりもしたものだった。ふたりはいっしょに、棒のさきで、菩提樹の苔だらけの根と根のあいだにうごいている、平らな背中をした虫の巣をひっくり返しもしたものだった。その虫に、ふたりは《兵隊》という名をつけていた。甲羅があかね色で、奇妙な黒いひげをはやしていたからだった。ふたりはいっしょに、まさにきょうを思わせるような午後、あそこに見える木柵やいけがきにそって行き、通りすがりにえにしだとかリラとかの花ぶさを折り、あるいはまた、あそこに見える道の上を、ハンドルの上に水着とかラケットとかをのせながら、自転車でたどって行きもしたものだった。そして、ずっと向こう、アカシアのかげの高い門を見ていると、まだほんの子供のころ、おりからメーゾン・ラフィットに避暑に来ていた高等中学校の教師のところへ、夏休み中勉強に通ったときのことなどが思いだされた。九月になってからの日暮れには、公園の中で迷子になりはしないかと思って、おばさんとジャックが、よくその門のところまで迎えに出ていてくれたりした。彼はそのときの弟を思い浮かべた。やっと三つになったばかりのおさな子、おばさんの手からすり抜けるなり、自分を迎えに駆けよって来ては、自分の腕にぶらさがり、片ことまじりに、その日の些細なできごとを話してきかせたものだった……

それらを思いつづけながら、彼はいま別荘のところまで帰って来た。そして、そこの小さな門をおしたとき、そしてちょうど庭の入口のところ、急にダニエルの手をすり抜けたジャン・ポールが自分を迎えに駆けよって来るのをみたとき、アントワーヌは、赤い髪をふりみだし、はきはきした身ぶりで駆けよって来るジャックを見たような気持ちがした。われながら感動したアントワーヌは、かつて弟にしてやったときのように、いきなりジャン・ポールをつかまえると、かかえあげてキスしてやった。だが、たといかわいがられるにしても、窮屈なことのきらいなジャン・ポールは、身をもがき、足をばたつかせた。アントワーヌは息切れがして、笑いながら下におろしてやらずにはいられなかった。

ダニエルは、両手をポケットにつっこみながら、そのありさまをながめていた。

「なんてたくましい小わっぱだ！」と、アントワーヌは、なかば父親らしいうれしさをこめながら言った。

「腰の力のえらいことったら！　まるで釣りあげたばかりのさかなそっくりだ！」

ダニエルは微笑した。そして、その微笑の中には、アントワーヌのそれとおなじようなうれしさが見えていた。やがて、ダニエルは、手をあげて空をしめした。

「とてもいいお天気でしたね……また夏がやってきますね……」

アントワーヌは、ジャン・ポールとの格闘にいささかつかれて、並木道のふちに腰をおろしていた。

「しばらくそうしておいでですか？」と、ダニエルがたずねた。「ぼくは長く立っていすぎました。足を伸ばしに行かなくちゃあ……ジャン・ポールをおいて行きましょうか？」

「どうか」

ダニエルは、ジャン・ポールのほうをふり返った。

「あとから、アントワーヌおじさんと帰って来るんだぜ。おとなしくできるかな？」

ジャン・ポールは、何も答えずに下を向いた。そして、上目づかいにアントワーヌのほうへ一瞥を投げると、立ち去って行くダニエルをためらいがちに見送りながら、一瞬あとを追いそうにした。だが、おりから足もとに落ちて来た黄金虫《こがねむし》が目にとまると、たちまちダニエルのことなど忘れてしまい、そのままそこにしゃがんでしまった。そして、起きあがれずにいる虫をながめていた。

《なれさせるためには、こっちが相手にしていないように見せかけなければ》と、アントワーヌは思った。彼は、ちょうどこの年ごろの弟がおもしろがった遊びのことを思いだした。そして、一枚の分厚な松の皮を拾うと、ナイフを出して、何も言わずに舟の形を彫りはじめた。

ジャン・ポールは、こっそりそれをながめていたが、やがてそばへよって来た。

「そのナイフ、誰の？」

「ぼくのさ……アントワーヌおじちゃんは兵隊さんだからな、パンを切ったり、肉を切ったりするのにいるんだよ……」

明らかに、こうした説明は、ジャン・ポールの興味を引かなかった。

「何をしているの？」

「見てごらん……わからない？　小さなお舟をつくってるのさ。おまえに、お舟をつくってあげているんだ。ママがお風呂にいれてくださるとき、お風呂の中に浮かべるのさ。ちゃんと沈まずに浮いてるぜ」

ジャン・ポールは、ひたいにしわをよせながら聞いていた。それは、考えこんでいたためと、ひとつには、何か気味わるかったためだった。低いしわがれたアントワーヌの声を、無気味に思ったからなのだった。

それにジャン・ポールには、アントワーヌの言葉がまったくわからなかったようだった。ことによったら、いままで舟を見たことがなかったのではあるまいか……彼は、ふといためいきをひとつついた。そして、はっきりまちがっていることのわかった、また、気のついたたったひとつの点を取りあげて、その一点を訂正した。

「だって、ぼく、お風呂はママとははいらないんだ。ダーヌおじちゃんとはいるんだ！」

そう言ったと思うと、アントワーヌのしていることには見向きもせず、また黄金虫《こがねむし》に取りついた。

アントワーヌは、こだわらずに、舟をすてた。そして、ナイフを自分のそばにおいた。

しばらくすると、ジャン・ポールはふたたびそばへよって来た。アントワーヌは、も一度よりをもどしてみようとした。

「きょう、何かおもしろいことがあったかね？　ダーヌおじさんとお庭を歩きに行ったかね？」

ジャン・ポールは、記憶の底をさぐってでもいるようだった。そして、そうだといった身ぶりをした。

「おとなしくできたかね？」

おなじく、身ぶりでそうだと答えた。だが、ほとんど時をおかずにアントワーヌのそばによると、ちょっとためらってから、おごそかなちょうしでこう打ちあけた。

「はっきりおぼえていないんだ」

アントワーヌは、微笑せずにはいられなかった。

「え？　おとなしかったかどうかわからないのか？」

「ううん！　おとなしかった！」と、ジャン・ポールは、じれたようなちょうしで叫んだ。つづいて、おなじような妙なけっぺきさから、滑稽なようすで鼻にしわをよせて見せながら、一つ一つの言葉をはっきりわけてくり返した。

「はっきり、おぼえて、いないんだ」

彼は、向こうへ行くように見せかけながら、アントワーヌのうしろにまわっていた。そして急に身をかがめたと思うと、おいてあったナイフをくすねにかかった。

「こら！　だめだ！」アントワーヌは、ナイフに手をかけながらどなった。ジャン・ポールは、引きさがろうとしないで、おこったような眼差しをアントワーヌのうえにそそいだ。

「そんなものをおもちゃにしてはだめだ。けがをするからね」と、アントワーヌは説明した。彼は、ナイフをさやにおさめ、ポケットの中にすべりこませた。困ったようなジャン・ポールは、いどみかかるというような、脅迫的な態度をしめしていた。仲直りをしようと思ったアントワーヌは、やさしく、左の手を開いて前へ出した。青いひとみが、きらりと光った。そして、その出された手を、さもキスするように見せかけてにぎったと思うと、いきなりそれにかみついた。

「痛い……」とアントワーヌは叫んだ。彼はあまりの唐突さにびっくりし、あっけにとられてしまったため、おころうという気さえおこらなかった。「ジャン・ポールは悪い子だ」と、彼はかまれた指をさすりながら言った。「ジャン・ポールは、アントワーヌおじさんを痛いめにあわせたな」

子供は、物めずらしそうにじっと彼をみつめていた。

「とても痛い？」と子供はたずねた。

「とても」

「とても」と、目に見えて満足そうなようすでジャン・ポールがくり返した。そして、身をひるがえしたと思うと、とびはねながら逃げて行った。

このできごとは、アントワーヌをとまどいさせた。《単にしかえしというのだろうか？　ちがう……では、なんだろう？　こうしたしぐさのなかには、いろいろな意味が含まれている……いちばんあり得るのは、おれからいけないと言われて、まさか押しきってやるわけにもいかず、自分にできないということから、急になんともがまんができない激発を見せたとでもいうのだろうか……おれの手に飛びかかってきたというのも、おそらく痛い思いをさせ、思い知らせるためではなかったろう。それはおそらく、肉体的な必要、いらだった神経を解放したいという、抵抗しがたい必要に出たものだったにちがいない……それに、こうした反動を判断するには、まず欲望の度合いをはかってみることが必要だ。ナイフをつかもうという欲望、そこにはおそらく——おとなには想像もできないほどの——やむにやまれぬものがあったにちがいないんだ！……》

彼は、横目づかいでジャン・ポールがまだ近くにいることをたしかめた。子供は、十メートルばかり離れたところで、いっしょうけんめい盛り土の上によじのぼろうとしていた。そして、そばに誰がいるかも念頭になかった。

《ああした恨みがましい反抗、ジャックだったら、たしかにやれたにちがいない》と、アントワーヌは思った。

《だが、かみつくところまでやれただろうか？》

アントワーヌは、もっとしっかり理解したいと思って、思い出の糸をたぐりよせた。彼は、現在と過去、息子と父親をひとつに結んで考えて見ずにはいられなかった。ジャン・ポールの目つきの中にちらりと読み取ることのできた反抗、恨み、挑戦、思いつめた孤独な傲慢の芽ばえ、彼はそれらにおぼえがあった。彼はそれらを、幾たびとなくジャックの目の中に見たものだった。その類似がとても明白であったことから、彼はすこしもためらうことなく、さらに類推を推しすすめた。そして、ジャン・ポールの反抗的な態度のなかには、ジャックが、いきりたった激しさのもとに、死ぬときまで隠していたような抑圧されたさまざまの力、廉恥心、純真さ、人に理解してもらえない愛情などがうかがえることを考えた。

かぜを引いてはと思って立ちあがりかけたとき、彼の注意は、おりからジャン・ポールのしていた奇妙な軽わざのほうへ引きつけられた。ジャン・ポールが攻略しようとしていた盛り土の山は、高さ二メートルもありそうだった。右の面と左の面は、地面まで傾斜していてのぼりやすかった。だが、中央のところは、急な傾斜をなしてそそり立っていた。しかもジャン・ポールは、まさにそこをのぼろうとしていたのだった。アントワーヌは、ジャン・ポールが、幾度となく飛びついては、半分ほどのぼったかと思うと、たちまちころがり落ちるのをながめていた。たいして痛くもないらしかった。散った松葉がつもっていたので、落ちてもたいして痛くなかった。子供は、ひたむきになっているらしかった。ただ一つ、これと思った目的へ向かって、ひたむきになっているらしかった。やり直すたびに、だんだん頂上近くに達して行く。そして、そのたびごとに、さらに高いところからころがり落ちるのだった。子供はひざをさすっていた。そして、またもやり直しにかかっていた。

《チボー家一流の精力主義というやつだな》と、アントワーヌは、うれしそうに考えた。《おやじの場合、それは権力であり、支配することの趣味だった……ジャックの場合、それはかんしゃくであり、反抗であり、……またおれの場合には片いじだった……ところでいま、ジャン・ポールの血の中を流れているこの力、これははたしていかなる形をとるだろう？》

ジャン・ポールは、ふたたび突撃にかかっていた。とても猛烈勇敢な突撃のおかげで、ほとんど頂上まで届きそうになったところで、足もとの土がくずれかけた。そして、またもやひっくりかえろうとするのを、一束の草をつかんでからだをささえ、ぐっと腰に力をこめて、盛り土の上までよじのぼった。

《見ていてくれたかどうか、きっとふり返るにちがいないぞ》と、アントワーヌは思った。

だが、その推測ははずれた。ジャン・ポールはこっちに背をむけ、彼のことなどぜんぜん問題にしていなかった。子供は小さな両足を踏んばったまま、しばらく山の上につっ立っていた。やがて、これでよいと思ったらしく、いっぽうの坂からしずかにおりると、征服した山のほうなどふり向きもせず、一本の木に背をもたせると、はいていたサンダルの片方をぬぎ、中にはいっていた小石をふるいだしてから、それをふたたびたんねんにはいた。だが、ベルトのボタンを自分でかけられないのを知っていた彼は、アントワーヌのほうへやって来た。そして、物も言わずに足を出した。アントワーヌは微笑した。そして、言われるままにサンダルのボタンをかけてやった。

「ではそろそろ帰ろうか？」

「いや」

《こいつの〈いや〉は、たしかにいっぷう変わってる》と、アントワーヌは思った。《たしかにジェンニーの言ったとおりだ。言いつけられたことをしたくないという〈いや〉ではなくて、予定している、全般的な拒絶なんだ……たといどんな理由であろうと、自分の独立の一片たりとも人にゆるすまいといった気持ちなんだ！》

アントワーヌは立ちあがっていた。

「さあ、ジャン・ポール、言うことをきくんだ。ダーヌおじちゃんが待ってるぜ。さあ、行こう！」

「いや」

「おじちゃんに道を教えてくれないかね」アントワーヌは、気を変えさせようと思ってこう言った。彼自身、こうしたおもり役は不得手なことを知っていた。「どこの道から行くんだね？　こっちかな？　あっちかな？」そして、アントワーヌは子供の手を引いてやろうとした。ところが子供は、ふくれたようすで、腰のうしろに両腕を組んだ。

「ぼく、いやだってば！」

「よし！」と、アントワーヌは言った。「では、ここにひとりでいたいんだな？　では、いるがいい！」そう言いながら、彼はさっさと家の方へ向かって歩きだした。いましも家のばら色の壁には、夕日のかげが燃えていて、それが木立をとおして見えていた。

まだ三十歩と行かないころ、彼の耳には、ひた走りに走りながら追ってくるジャン・ポールの足音が聞こえた。彼は、さっきのいきさつを忘れたように、快活に迎えてやろうと思った。ところが、ジャン・ポールは、彼を追いぬいたまま走りつづけた。そして、追いぬきながら、立ちどまりもせずに、不敵なちょうしでこう言った。
「ぼく、帰るんだ！　ぼく、帰りたくなったから！」

十二

別荘での晩餐は、ジゼールとニコルのおしゃべりのおかげで、いつもかなり陽気なものときまっていた。一日のつとめを終わった気持ち――それにおそらくは、フォンタナン夫人の、母親らしい、だがなかなか気のつく監督の目を離れることができたうれしさもあって――ふたりは、食事のあいだ、その日におこったことを楽な気持ちで話しあい、新しい入院患者の印象について意見をかわし、若い寄宿生といったような熱情をもって、仕事のあいだにおこったいろいろ小さなできごとについて語りあうのを例とした。

その晩、アントワーヌはかなり疲れていたが、ふたりが大まじめに専門語をつかいながらいろいろ手当について議論をたたかわし、医者たちの腕まえについて品さだめするのをおもしろがって聞いていた。ふたりは、幾たびか、専門家としての彼の意見を求めてきた。そして、彼のほうでも、微笑しながら、自分の意見を述べていた。

ジェンニーは、おなじテーブルで食事をしているジャン・ポールに気をとられ、そうした話にも、ただうわのそらの注意だけしかはらっていなかった。いっぽうダニエルは、例のとおりだまりこくっていながらも（とりわけ、妹とニコルの前でそうなのだった）、幾度か、アントワーヌに向かってだけ話しかけてきた。

ニコルは、夕刊を持ってきていた。それには、長距離砲によるパリ砲撃のことが取りあげられていた。第六区、第七区のいろいろな建物が、最近そのためにやられていた。死者五名、内三人は婦人で、ひとりはほんの乳のみ子だった。この乳のみ子がやられたことについて、連合国側の新聞は、いっせいにドイツ軍の野蛮行為にはげしい非難をあびせていた。

ニコルは、そうした残虐行為のなされていることにいきり立っていた。

「ボッシュ（ドイツ人に対する侮蔑的呼称）のやつ！」と、彼女は叫んだ。「やつらの戦争のしかたといったら、まるで野蛮人そっくりだわ！　これまでだって、やれ火炎放射器、やれ毒ガス！　それに潜水艦戦術！　でも、罪のない非戦闘員を殺すなんて、まったく言語道断な、悪虐無道なふるまいだわ！　道徳的観念や、人間的感情をすっかり忘れたふるまいだわ！」

「では、罪のない非戦闘員を殺すことが、若い兵隊たちを第一線に駆り立てるより、ずっと非人道的で、ずっと、不道徳で、ずっと言語道断だとでも思ってるのかね？」と、思うところあるらしくアントワーヌがたずねた。

ニコルとジゼールは、あっけにとられたように彼をみつめた。

ダニエルはフォークを下においていた。彼は、目を伏せて黙っていた。

「気をつけなければいけないな……」と、アントワーヌは言葉をつづけた。「戦争に法則をあたえること、戦争を限定すること、戦争に組織をあたえること（ばかばかしくも《戦争の人道化》と呼んでいるところのこと）、つまり《これは野蛮である！》《これは不道徳である！》と、きめつけること――それはつまり、戦争に別のやり方のあるということをみとめることにほかならないんだ……つまり、完全に文明的なやり方……完全に道徳的なやり方とでもいったようなものがあるかのようにね……」

彼は、ちょっと言葉を切ってから、ジェンニーの眼差しを求めていた。だが、彼女は、ちょうどジャン・ポールに飲み物をのませようと、その上にうつ向きこんでいた。

「言語道断というのは」と、彼はつづけた。「それははたして、多少残酷さにちがいこそあれ、殺し方のことを言うのだろうか？　そして、それによって乙が殺されるかわりに甲が殺されるということをさすのだろうか？……」

ジェンニーは、はっと手をとめた。そして、金属製のコップを手荒く下においたので、あやうくひっくりかえすところだった。

「言語道断なのは」と、ジェンニーは歯をくいしばりながら言った。「それは、各国民がだまって認めていることにあるんですわ！　彼らは、多数です！　彼らは力です！　あらゆる戦争は、彼らがそれを承認するか拒絶するかにかかっていますわ！　いったい彼らは、何をぐずぐずしているんでしょう？ 《やめろ》というだけでじゅうぶんなのに。そうしたら、彼らすべての求める平和が、たちまち現実なものになるのに！」

ダニエルは、まぶたをあげた。そして、ちらりと、なぞのような一瞥を妹に投げた。

しばらくのあいだ沈黙がつづいた。

アントワーヌは、落ちつきはらって結論をくだした。

「言語道断なのは、これでもなければあれでもないんだ。一言にしていえば、それは戦争自身にほかならないんだ！」

しばらくのあいだ、誰ひとり言葉を発しようとしなかった。

《人間はすべて平和を求めている》と、アントワーヌは、ジェンニーの言葉を考えながら思った。《はたしてそうかしら？……人間は、それが侵害されるやいなやそれを求める……だが、彼らたがいに許し合おうとしない精神、彼らの闘争的な本能は、それが得られるやいなや、たちまちそれを不安なものにしてしまう……戦争の責任を政府や政策に背負わせること、それもたしかに一理はある！だが、そうした責任の中にあって、人間の本性に帰さなければならないもののあることを忘れてはならない……あらゆる平和思想の根底には、次のような仮定が必要だ。いわく、人間の精神的進歩への確信。このおれは、その確信を持っている——というより、感情的に、そうした確信を持たずにはいられないのだ。すなわち、人間の良心は、無限に向上すべきものであると考えずにはいられないのだ！　おれは、そのうち人類が、この地上に、秩序と友愛とを打ち立てる日がくるだろうと考えずにはいられない……だが、そうした革命の実現のためには、数人の賢者の意思や犠牲だけでは不足だろう。そのためには、何世紀、あるいは何千年かにわたる進化発展を必要とするだろう。（二十世紀の人間などから、どうして真に偉大なものが期待できよう？……）そうしてみれば、いまさら苦労してみたところではじまらないのだ。貪婪《どんらん》な現代社会の動物どものなかに生きていることの慰めを、そんなに遠い将来の中に見いだすわけにはいかないんだ……》

アントワーヌは、まわりにいる誰も彼もが、みんな黙りつづけているのに気がついた。あたりの空気は、まるで電気をはらんででもいるように重苦しかった。彼は、自分が、こうしたとつぜんの夕立模様の原因になったことをすまなく思った。そして、話を陽気にもどそうとした。彼は、ダニエルのほうをふり向いた。

「そうそう、きみの友だち、あのひょうきんものの……そら、あの牧師さん……いったいあれからどうなったかしら？」

「グレゴリー牧師？」

この名を聞いただけで、みんなの目には、ちょっといじわるらしい輝きがもどった。

ニコルは、いたずららしい顔の表情とは似てもつかない、いかにも悲しそうな声で言った。

「あのかたのこと、テレーズおばさんがとても心配しておいでなんですの。復活祭のころから、アルカションの療養所においでなんです……」

「最近のたよりによると、もう起きられなくなってるっていうことでした」と、ダニエルがつけ加えた。

ジェンニーは、牧師が、戦争の初めから戦線に出ていたと注意した。それきり話はとぎれてしまった。

アントワーヌは、なんとか言おうとしてこうたずねた。

「では召集されたのかしら？」

「つまり」と、ダニエルが訂正した。「あの人は、応召するために、ありとあらゆる手段を取ったんです。ところが、年齢と健康でだめになりました。そこで、こんどはアメリカ野戦病院隊のある班に採用してもらったんです。そして、あのおそろしい一九一七年の冬を、イギリス戦線ですごしました……負傷兵の運搬をして、そして、気管支炎……喀血……いやおうなしに入院させられてしまいました。だが、それも手おくれでした」

「わたしたちが最後にお会いしたのは、一九一六年、休暇をもらったときでした。ここへたずねて見えまして」と、ジェンニーが言った。

ニコルは、さらにくわしい説明をした。

「すっかり人相が変わっていて……まるで幽霊……トルストイふうの長いあごひげ……おとぎ話の中の魔法使いそっくり！」

「あいかわらず薬を使わないとがんばりつづけていたのかな？　まじない以外の方法で患者を世話することをことわりつづけておいでだったのかな？」と、ちゃかすようにアントワーヌが言った。

ニコルは笑いだした。

「そうなんですの……そのことについて、まるで寝ごとみたいなことを言ってましたわ。ここへ見えたとき、もう二年まえから小型トラックで重症患者を運びながら、いつも落ちつきはらって《死は存在せず！》ってくり返していたんですって」

「ニコル！」と、ジゼールが言った。アントワーヌの前で、牧師がちゃかされるのを見るに見かねてのことだった。

「それにあのかた、《死》という言葉をけっして口に出さないんですのよ」と、ニコルがつづけた。

「《死のまぼろし》ですって……」

「そして、ママによこした最後の手紙には」と、微笑しながらダニエルが言った。「こうしたおどろくべきことが書いてあったな。《わたしの生活は、ほどなく不可見の世界の中へ引きあげることになるでしょう……》」

ジゼールは、とがめるような眼差しをアントワーヌのほうへ投げた。

「笑ってはだめ……ずいぶんおかしなことはなすっても、あのかた、とても清らかなかたなんですもの……」

「なるほど聖者であるかもしれない」と、アントワーヌは一歩ゆずった。「だが、運わるく、ああした清らかな人の手にかかったイギリスの負傷兵たちのことを考えずにはいられないな――そして、看護兵としては、やっぱり危険なしろものだったとしか思われないな」

デザートは終わりかけていた。

ジェンニーは、ジャン・ポールを椅子からおろしてやってから立ちあがった。一同もこれにならって、彼女のあとからサロンのほうへ出て行った。彼女は、そのままサロンを通りぬけた。いつもの晩よりおそかったので、子供を寝かせに行くのに心がいそいでいたからだった。

ジゼールは、灯火《ともしび》から遠く、低い椅子に腰をおろし、病気がなおって留守部隊に帰って行く兵士たちに、路銀とでもいったようにあたえることにしている靴下をあみはじめていた。そのあいだ、ダニエルは、ピアノの上にあった『世界一周』の一冊を手にすると、部屋の奥、部屋の中でただ一つ石油ランプのともしてある円テーブルの向こうの長椅子へ行って腰をおろした。《気どりかな?》と、アントワーヌは、ランプのかさの下にうつ向きこみ、感心な子供とでもいったようにたんねんにページをくりつづけているダニエルを見ながら考えた。《それともまた、ああした古いさし絵にしんから興味を持っているのかしら?》

アントワーヌは、おりからニコルが、火床の前にひざをついて、火をたきかけている暖炉のそばに歩みよった。

「久しぶりだなあ、薪の火を見るなんて!」

「晩になるとまだ冷えびえするんですもの」と、彼女は言った。「それに、火をたくと、とても陽気になるんですもの!」彼女は、なかば身を起こした。「はじめてお目にかかったのは、このメーゾン・ラフィットでしたのね。あたし、はっきりおぼえていますわ……あなたは?」

「ぼくだって」

彼はまさに、あの遠い夏の夕方、ジャックからぜひにとたのまれるままに、そしてチボー氏にはないしょで、弟を《異端者《ユグノー》》のところへつれて行ってやると言ったときのこと、自分より四つ年うえの外科医フェリックス・エッケが来ているのにびっくりしたときのこと――ばらの小道でジェンニーとニコルに出会ったときのこと――高等師範《ノルマル》の入学試験に合格したばかりの学生時代のジャックのこと――自分もまだ医者になりたてで、フォンタナン夫人だけから改まって《先生》と呼ばれていたころのことを思いだした。……誰も彼もが若かった！ 誰も彼もが、自分たちの年齢を信じ、人生を信じて、将来のことなど何ひとつ知らず、おりからヨーロッパの政治家どもが、自分たちのために準備していた大動乱、一挙に自分たちの個々の小さな計画を吹き飛ばし、ある者たちにとってはその存在をほろぼし、ある者たちにとってはその生活をすっかり変えさせ、人おのおのの運命の中に、破壊と悲しみをつみかさね、世界を、このさきはたして何年つづくかわからないような混乱の中におとしいれるであろう大変動を準備していたことなど、まったく気がつかずにいたのだった。

「ちょうどわたしたちが許婚《いいなずけ》になったころでしたわね」と、彼女は、考えこんだようすで言葉をつづけた。その思い出には、何か悲愁のかげが重くたれこめてでもいるようだった。

「フェリックスが、自動車でつれて来てくれたんでした……ところが、帰りには、サルトーヴィルで、しかも真夜中、パンクしてしまいましたの……」

ダニエルは目をあげた。そして、そのまま顔を動かさずに、ふたりのほうをちらりと見た。それをアントワーヌは見のがさなかった。聞いていたのかな？　こうした過去の思い出に、感動なり愛惜なりをかき立てられたとでもいうのだろうか？　それともまた、おしゃべりをうるさく思ってのことなのだろうか？　彼は、ふたたび書物のページをくりはじめた。だが、まもなく、あくびをかみころすと、本を閉じて立ちあがった。そして、ゆっくりした足どりで、おやすみなさいを言いに近づいて来た。

ジゼールは、編み物を下においた。

「お部屋にお帰り？」

薄くらがりの中でみると、彼女の髪はさらにふさふさしていて、顔はさらに浅黒く、目の角膜はさらにきらきら光ってみえた。そして、こうして炉の火に照らされ、低い椅子に腰かけたまますうつ向きこんでいる彼女を見ると、彼女の遠い祖先の国アフリカのことが考えられた。そうした彼女は、そだ火を前にしてうずくまっているアフリカ女そのままだった。

彼女は椅子をはなれていた。

「ランプはたしかに台所にありましたわ。いらっしゃいな。火をつけてあげますから」

ふたりはつれ立ってサロンを出て行った。アントワーヌは、機械的に、ふたりのあとを見送っていた。つづいて彼の眼差しは、立ったまま、自分のほうを見まもっているニコルのうえに立ちもどった。あとに残ったのはふたりだけ。ニコルは、ふしぎな微笑を浮かべてみせた。

「ダニエルが、あのかたをもらうことにするといいんだわ」と、低い声で彼女が言った。

「え?」

「そうなのよ。それがなによりいいと思うわ。ちがうかしら?」

考えてもいなかったことなので、アントワーヌは、目をすえたまま、まゆげをつりあげ、じっと身動きしないでいた。たちまちニコルは笑いだした。よく響く、鳩の鳴き声を思わせる、咽喉《のど》から出てくる笑いだった。

「そんなにびっくりなさるとは思わなかったわ!」

ニコルは、安楽椅子を一つ、火のそば近くよせていた。そして、しどけない、挑発的とも思われるポーズで両足を組みながら、何も言わずににじろじろ彼をながめていた。

アントワーヌは、彼女のそばに腰をおろした。

「ふたりのあいだに、何かあると思っているのかね?」

「わたし、そんなことは言わなかったわ」と、彼女はきっぱり言いきった。「何にしても、ダニエルのほうでは、そんなことを一度も考えたことがなかったと思うわ……」

「ジゼールにしてもね」と、彼は、きわめて自然に言ってのけた。

「もちろんジゼールだって。でも、ジゼールが、あの人に興味を持ってることだけはわかっていてよ。いつもあの人のために町にお使いに行ってあげるの。そして、新聞や、チューインガムを買って来てあげるの……何から何まで親切にしてあげるの。ダニエルのほうでも、はっきりうれしいらしいようすで、何から何までしてもらうのよ……あなたもお気がついたでしょう? ダニエルは、あの人にだけはふきげんな態度を見せないのよ……」

アントワーヌは黙っていた。ジゼールの結婚、それを考えてみただけで、最初不愉快なことに思われた。彼にはまだ、昔のこと、たとい短いあいだであったにせよ、ジゼールが、自分の生活の中にどんな場所をしめていたかをまだすっかりとは忘れることができずにいた。だが、考えてみても、べつに反対する理由といっても見当たらなかった。

ニコルは、何も言わずに笑いつづけていた。それが、彼女の口のあたりに、二つのえくぼをきざんでいた。その快活さには、いささか度のすぎたといったところ、いささかふつうでないものがあった。

《ことによったら、ダニエルに惚れているんではないだろうか?》と、アントワーヌは思った。

「ねえドクトル、わたしの考え、それほどむちゃではないでしょう?」と、ニコルはさらに言いつづけた。「ジゼールは、あの人のためなら、すっかり自分をささげますわ。そして、そうしたいっしょうけんめいさの中にこそ、ああしたひとに、適当な人生の道のひらけるチャンスがあるんですわ……それに、ダニエルのほうは……」ニコルは、編んだブロンドの髪の毛が、椅子のもたれに届くほど、ゆっくり顔をあお向けにした。そして、アントワーヌには、彼女のしめった唇のあいだに、一瞬きらりと歯の光るのが見えた。彼女はそのまま、まぶたを伏せた。そうした彼女のまつげのあいだを、底意あってのいじわるそうな眼差しがかすめた。

「ダニエルは、いつも人から愛されるように、身がまえのできてる人間ですわ……」

おりから彼女は、それとわからないいらだたしそうなようすを見せた。板壁越しに、古びた階段のきしみが聞こえたからだった。

「たとえば、ゆうべ夜っぴて看病したパラチフス患者にしてもですわ」彼女は、ちょっとどうかと思われるような、すばやさとごまかしとで話題を転じた。「サヴォワ生まれの人なんですの……九二年度（一八九二年度）の老兵なのよ……」彼女は、ジゼールをうしろに従えてジェンニーのはいって来るのを見ながら、さらにせきこんでしゃべりつづけた。「ぜんぜん意味のわからないお国言葉でうわごとを言うの。でも、ひっきりなしに《ママ》って呼んでたわ……子供みたいな声をだして。胸をかきむしられるようだったわ」

「ほほう」アントワーヌは、うまく話にのってやった。そして、そうしてやれたことに、ちょっとおろかしくも得意になった。「ぼくもたびたび聞かされたっけ。だが、思いちがいをしてはいけない。さいわいそれは、単に機械的な訴え、過去の中から無意識に浮かびあがってくる一つの習慣にすぎないんだ……《ママ！》と呼んでいた瀕死の患者たちもずいぶんいたが、はっきり母親のことを考えていたものはきわめて少ないだろうとぼくは思うな」

ジェンニーは、腕に茶色の毛糸の束をかかえていた。それを巻こうとしてだった。

「今夜は誰にてつだってもらえるかしら？」

「わたし眠いわ」と、ニコルは、だるそうな微笑を浮かべて白状した。そして、時計のほうを見た。

「あら、もう十時までに二十分……」

「わたしじゃどう？」と、ジゼールが言った。

ジェンニーは、それにたいしてかぶりを振ってみせた。

「あなたはだめ。あなたも疲れているんだから、上へ行ってやすんでね」

ニコルは、ジェンニーにキスをしてから、アントワーヌのほうによって来た。

「失礼しますわ。朝七時に出かけるんですから。それにあたし、ゆうべ一睡もしませんでしたの」

つづいて、ジゼールが彼のそばによって来た。アントワーヌがあした出発するのだと思うと、そして、彼の滞在中ふたりきりで会うおりもなく、かつてパリで会ったときの親しさを取りもどすおりもないと思うと、胸しめつけられるような気持ちだった。だが、そうして未練を言いたてたら、どっと泣けてきそうで、心配だった。彼女は、何も言わずに、アントワーヌの前にひたいをだした。

「さようなら、ジゼール」アントワーヌは、きわめてやさしく、低い声で言ってやった。

ジゼールには、すぐに、彼のほうでも自分の心をわかってくれている、彼もまた自分とおなじく、こうして別れてしまうことをたまらなく思ってくれていると信じることができた。そして、そうした確信が得られるとともに、別れることがまえほどつらくなくなってきた。

彼女は、アントワーヌの眼差しを避けながら、ニコルのあとを追って行った。

《ほほう、ジェンニーにはおやすみなさいを言わないんだな？》と、アントワーヌは思った。彼は、ふたりのあいだに何か気まずいことがあったのではないか、それを考えてみるだけのゆとりがなかった。ジェンニーは、せかせかと客間を横ぎって行った。そして戸口のところでジゼールに追いつき、その肩に手をかけて、

「ジャン・ポールに、夜具をしっかりかけてやっておかなかったような気がするのよ。何か足にかけてやってくださらない？」

「桃色のかいまき？」

「白いほうが暖かいと思うわ」

ふたりは、こんどもまた、おやすみなさいを言わなかった。

アントワーヌは、立ったままでいた。

「ジェンニー、あなたは？　わざわざぼくのためだけにいてくれなくってもいいんだけれど」

「わたし、眠くないんですの」彼女は、いままでニコルのかけていた安楽椅子に腰をかけながらはっきり言った。

「では、仕事をするかな。ぼくがジゼールのかわりをしよう。毛糸をわたしたまえ」

「とんでもない！」

「なぜ？　むずかしい？」

アントワーヌは、毛糸を取ると、低い椅子の上に身をまるめた。ジェンニーは、微笑しながら彼の言うなりにさせてやった。

「ほうら」何度か失敗してから彼が言った。「これでどんどんできていく！」

ジェンニーは、これほど気さくな、これほど親切な彼を見て、驚きもし、うれしくも思った。彼女には、あれほど長く彼を見ちがえていたことが恥ずかしくさえ思われてきた。いまの彼女にとって、アントワーヌこそは誰よりも信頼できる相談相手ではないだろうか？　おりから、せきこんだため、言葉のとぎれたアントワーヌを見ながら、彼女は《なんとかしてなおってもらえるとうれしいけれど！》と、思った。《なんとかして、昔どおりの健康をとりもどしてもらえると！》彼女は、ジャン・ポールのため、ぜひともアントワーヌに健康をとりもどしてもらいたかった。

咳がおさまるやいなや、アントワーヌは、ふたたび仕事にかかりながら、なんのまえぶれもなしにこう言った。

「ジェンニー、わかるかしら？　ぼくは、こうしたあなたを見て、とても安心できたんだ……つまり、これほどしゃんとした……これほど落ちついたあなたを見て……」

毛糸のたまの上に目を伏せながら、ジェンニーは、考えこんだようすでくり返した。

「落ちついた……」

なんといっても、たしかにそれにちがいなかった。彼女自身にしてさえ、いま、自分の悲しみをつつんでくれているこうしたおだやかな空気のことを思って、ときどきおどろいていたのだった。アントワーヌに言われた言葉を考えながら、彼女は、いまの自分の状態を、三年半まえに経験した、あの錯乱とおそろしい空虚の時期にくらべていた。彼女は、戦争がはじまってまもないころ、ジャックからはなんのたよりもなく、最悪の予感を感じながら、弱気と強気と、たがいに矛盾しあった激発にさいなまれながら、わが身のさみしさにたえがたく、だからといって人前に出ることもがまんできず、何かしら、自分の手からすりぬけていくもの、しかも絶えずつかめそうに思われる何かたいせつなものを追うかのように、母をのがれ、家をのがれ、動員によって面変わりしたパリの町を、ときによると午後の全部をかけて歩きまわり、かつてジャックにつれて行かれたあらゆる場所——東部停車場、サン・ヴァンサン・ドゥ・ポールの小広場、クロワサン町、幾たびとなく彼と待ちあわせた取引所《ブルース》近くのほうぼうのバー、モンルージュの細い通り、それに、一夕ジャックが、聴衆のあいだに戦争反対のはげしい気勢をそそり立てたホールなど——へ行ってみたときの自分の姿を思いだした……そうした彼女は、疲れはて、夜になって、へとへとになって家に帰って来た。そして、かつてジャックの腕でだかれたベッドの上にうめき声を立てて身を投げだし、そこで何時間か眠ったあとで、ふたたび絶望の新しい日を迎えに目をさました……そうだ、ああした幾週間にくらべるとき、いまの生活は、たしかにおどろくほど《落ちついた》ものにちがいなかった！　三年という年月のあいだに、彼女の身のまわり、彼女の心のなかで、あらゆるものが変わってしまっていた。あらゆるものが——彼女がまもりつづけてきたジャック自身の姿までも……いかにはげしい恋愛でさえ、時の作用に抗し得ないとはなんとかなしいことだろう！　いまにしてジャックのことを思うとき、彼女には、今日あるであろうジャックの姿を想像することができなかった。同時にまた、一九一四年七月のジャックにしても、そうだ、いまの彼女に思い浮かぶジャックの姿は、それはかつて彼女が知っていた狂熱的な、気の変わりやすいジャックその人の姿でなく、片手をひざにおき、アトリエのガラス窓からのはげしい光線をひたいに浴び、斜めに腰をかけ、じっと動かずにいるジャックの姿、とりもなおさず、自分の目の前に夜となく昼となくながめている肖像画のジャックの姿にほかならないのだ。

とつぜん、彼女はおそろしいことに気がついた。彼女は、ジャックがとつぜん帰って来たときのことを想像した。そして、そのときの彼女の感じは、うれしいと同時に、当惑するといった感じだった……そうだ、いまさら自分をあざむいてなにになろう。たとい一九一四年のジャックがとつぜん帰って来たにしても、今日のジェンニーの目の前に、たといジャックが奇跡のように立ちあらわれてきたにしても、彼女としては、いままでつつましくジャックのために準備しておいたその位置を、そのままそっくり返してやるわけにはいかなさそうに思われた……

彼女は、アントワーヌのほうへ悲しそうな目をあげた。だが、彼はその目に気がつかなかった。彼はいましも、握りしめた両のこぶしで毛糸を張って、右に左に規則正しくからだをかしげ、糸をくりだすのに一心だった。そうした彼には、魔法の糸から目を放すだけのゆとりがなかった。それは、われながらいささか滑稽な感じだった。肩のあたりはけいれんしていた。彼は、不服な気持ちで、こうしたてつだいを買ってでたのがまずかったこと、こうして腕をあげつづけていると、だんだん息苦しくなってくること、暖炉のすぐそば、低い椅子にかけつづけのあとでは、上へあがって着物を脱ぐとき、かぜを引きかねないことを考えていた……

ジェンニーのほうでは、――けさの自分の部屋でのようにして、彼に向かって、自分のこと、ジャックのこと、ジャン・ポールのことなどを話したかった。ああして思いがけない打ちあけ話のできたことのうれしさは、きょう一日、彼女の心からはなれなかった。だが、今夜の彼女はふたたび《とざされ》てしまった感じだった……人と触れ合うことの不得手なこと、意思を通わせることのできないこと、それは彼女の心の生活にとって、一つの悲劇というべきだった！　ジャックのそばにいたときでも、彼女はすっかり自分を投げだせなかった。幾たび彼から、《気ごころが知れない》と非難されたことだろう？　その思い出は、いまも焼けつくように残っていて、彼女の心を離れなかった。いずれそのうち、ジャン・ポールにたいするようになったとき、はたしてどういうふうにしたものか？わが身のひっこみ思案から、そうしたうわべの冷たさから、われにもあらずあの子を反発させたりはしまいか？

時計の鳴る音に、ふたりは期せずして顔をあげた。そしてふたりは、長いこと、たがいに黙りこんでいたことに気がついた。

ジェンニーは微笑を浮かべた。

「残りの毛糸はけっこうですわ。これひとつだけ。上に行かなければなりませんから」そして、巻きかけていた分の巻く手をいそいで、「でないと、ジゼールさんがせっかく寝ついたところを、その寝入りばなを起こすことになるかもしれませんから……あの人、じゅうぶんやすませてあげなければ……」

それを聞きながら、アントワーヌには、あのそろいのベッドのことが思いだされた。そして、また、ジゼールが、なぜジェンニーに《おやすみなさい》を言わなかったのかも理解された。ふたりは、おなじ部屋で暮らしているのだ。ふたりは、上の部屋で、小さな子供用のベッドを中にして、ジャックの肖像の下で寝ることにしている……アントワーヌは、チボー家での、ジゼールのわびしい少女時代のことを思いだし、はっとうれしさに心のおどるような気持ちがした。《これでかわいそうなジゼールは、一つの家庭を持てたのだ》彼は心に、ニコルの言った言葉を思い浮かべた。《だがジゼールは、はたしてダニエルと結婚するかしら？》なぜと理由はわからなかったが、どうもそうとは思われなかった。それに、結婚しないでも、彼女は幸福でいられるのだ。ジェンニーとその子の生活を見まもりながら、そこに自分の生きがいと喜びとを見いだすことができているのだ。彼女は、ジャックの生き形身ともいうべきふたりのため、いまは当てなき愛情と、忠犬さながらのその愛着とをささげることになるだろう。おそらく彼女は、白髪のモリコード(白黒混血の女)になるだろう。また年老いたやさしい《ジーおばあさん》になるだろう……

巻きおわったジェンニーは、席を立ち、毛糸をかたづけ、そして薪の上に灰をかけてから、テーブルの上にあった大きなランプを手に取った。

「ぼくが持とう」と、アントワーヌは、たいした自信もなしに声をかけた。

ジェンニーは、その息づかいがいかにも荒く、迫っていることに気がついて、彼に手数をかけまいとした。

「ありがとう。でも、いつもしつけているんですから。いつもわたしが、いちばんあとからあがって行くことになっていますの」

ドアまで行くと、彼女はくるりとふり返った。そして、部屋がかたづいているかどうかをたしかめようと、ランプを高く差しあげた。そして、古い客間を見まわしたあとで、じっとアントワーヌにその目をそそいだ。

「わたし、ジャン・ポールを、こうした空気の外で育ててやりたいと思いますの！」と、彼女はきっぱり言いきった。「戦争がすみ次第、生活を変えようと思いますの。そして、よそへ行って暮らそうと思っていますの！」

「よそ？」

「こうしたものから、すっかりお別れしようと思っていますの」と、彼女は、しっかりした、思いつめたちょうしを変えずに言葉をつづけた。「わたし、ここを出て行こうと思いますの」

「だって、どこへ？」アントワーヌの頭には、一つの推察が思い浮かんだ。「スイス？」

ジェンニーは、それに答えるに先だって、しばらくじっと彼をみつめた。

「いいえ」と、やがて彼女は言った。「もちろんそれも考えてみました。でも、あそこでは、十月革命（一九一七年十月、ソヴィエト政権の樹立を見るに至ったロシア革命）があって以来、真剣な人たち、ジャックさんの友だちたちは、みんなロシアへ行ってしまいました……わたし、一度はロシアへ行こうかとも考えました……でも、それはだめ。ジャン・ポールには、フランスの教育をあたえたほうがいいだろうと思いますの。フランスにいようと思いますの。でも、ママからも、ダニエルからも離れようと思っています。わたし自身の生活を打ち立てようと思っています。たぶんどこか、ジゼールさんといっしょに田舎に落ちつこうと思いますの。ふたりはいっしょに働きますわ。そしてジャン・ポールを、そうあるべきように、ジャックさんがそうあってほしいと思っていたような子に育ててあげようと思いますの」

「ジェンニー」と、アントワーヌは勢いこんだようすで言った。「そのときになったら、ぼくもなんとかして、また医者の生活ができていたらうれしいと思うんだが、そして、いっさいぼくが引きうけて……」

彼女は、ちょっと首を振りながら、アントワーヌの言葉をさえぎった。

「うれしいですわ。あなたからなら、必要な場合、よろこんで助けていただきます。でもあたし、何をおいても、自分で自分の生活をしていく女でありたいと思っていますの。ジャン・ポールの母として、独立したひとりの女、自分自身の働きによって、どこまでも自由に物を考え、自分の良いとみとめたところにしたがって行動する権利のある女になりたいと思っていますの……いけません?」

「いや!」

彼女は、親しみをこめた眼差しで感謝の意味をあらわした。そして、知ってもらいたいことをすべて言いつくしたというように、ドアをあけ、先に立って階段をあがって行った。

彼女は、アントワーヌを部屋まで送って行き、そこに客間のランプをおいてから、不足しているもののないことをたしかめた。

それから彼女は手をだした。

「わたし、ひとつお打ちあけしなければならないことがありますの」

「ほほう」と、アントワーヌは、うながすように言った。

「じつはわたし……これまで、あなたをいまのような気持ちでは考えていませんでした」

「ぼくも」と、アントワーヌは微笑しながら白状した。その微笑を見て取った彼女は、言葉のつづきをためらっていた。彼女は、手を、アントワーヌの手にまかせていた。彼女は、おごそかな目つきでアントワーヌをみつめていた。やがて彼女は、思いけっしたようにこう言った。

「でもいま、ジャン・ポールの将来のことを考えると……わかってくださいますわね、わたし、あなたがいてくださると思うと、そしてジャックさんの子があなたにとって他人でないと思うと、とても勇気をつけられますの……いろいろお知恵をかしていただかなければ……わたし、ジャン・ポールに、ジャックさんの長所をすっかり持たせてやりたいんですの。でも……」彼女には、それから先が言えなかった。だが、彼女はすぐに上半身を起こした。(アントワーヌは、手の中に、彼女の小さい手の震えているのを感じていた。)そして、彼女は、あばれ馬を障害物まで引きもどす騎手とでもいったように、つばをのみこんだあとで言葉をつづけた。「わたしだって、ジャックさんの欠点には気がついていました……」彼女はふたたび黙りこんだ。つづいて、思わず口に出したといったように、遠くを見ながら言いそえた。「でもわたし、あの人の前では、それを忘れていられました……」

彼女は、まぶたをしばだたいた。彼女は、むなしく、考えのつづきを求めていた。やがて、アントワーヌに向かってこうたずねた。

「お発ちは、お昼ご飯のあとでしょう？……だとすると」彼女は、つとめて微笑を浮かべてみせた。

「だとすると、朝のうち、ちょっとお目にかかれますわね……」彼女は、手を引っこめながら、つぶやくようにこう言った。「よくお休みになれますように」そして、ふり返りもせずに出て行った。

（続く）

解説

花褪せた園に、人々はいま……

『一九一四年夏』が一九三六年に出版をみたとき、多くの人々が、これで『チボー家の人々』は完結したものと考えた。作者はあわてて、まだそのあとにアントワーヌの巻としての『エピローグ』があることを読者に知らせるよう、ガリマール出版社に申し入れた。作者にとって、この大河小説の本当の主人公は、アントワーヌだったのである。この小説は、アントワーヌに始まってアントワーヌに終わる。

『エピローグ』は、前巻から四年後の一九一八年五月から始まる。アントワーヌは前年の十一月末、シャンパーニュ戦線で毒ガスにやられ、いまは南フランスの町グラッス近郊のル・ムースキエ・ガス中毒患者療養所に入院する身となっている。彼は自分の症状を記録する、「きわめて周到な」メモをつけていた。

五月三日、アントワーヌはジゼールからの電報をうけとった。あのヴェーズおばさんが死んだ、というしらせである。《おばさん》は開戦後養老院に入り、かなり厄介なぼけ老人となって死んだのだった。アントワーヌは、パリで師のフィリップ博士に会って診断も受けたいし、ユニヴェルシテ町の家に残してあった研究のノート類をとりよせたいとも思っていたところから、ついでに《おばさん》の葬式に出ようという気になる。彼の容態はけっしていいとはいえない。発熱と呼吸困難と不眠に悩まされ、ひどく咳こんだり発声障害をおこしたりする。体重も九キロへって、見ちがえるほどにやつれてしまった。しかしいまのところは、かろうじて南仏からパリへの旅行にもたえられそうだ。

アントワーヌがパリに帰り、そのあとメーゾン・ラフィットを訪れることによって、死んだジャックをのぞく、チボー家とフォンタナン家の人々が、全員一個所に顔をそろえることになる。こうして物語は、『一九一四年夏』の狂熱的な烈しさから鎮まって、ふたたび最初のころのような、家庭小説的で心理主義的な落ちつきを取り戻すことになる。しかし戦争は、それらの人々の生活をもすっかり変えてしまっていた。

ヴェカール神父によって進められていた葬儀には、ジゼールとシャール氏が列席していた。みると、ジゼールは看護婦の服を着ている。メーゾン・ラフィットでフォンタナン夫人が開設した病院に勤めているのである。その養老院での葬儀をすませて、アントワーヌはジゼールとともに、四年ぶりのなつかしいわが家に寝に帰る。

彼は「ふしぎだなあ……さっき門をはいりながら、おれはわが家にいるといった気持ちになれなかった。おやじの家といった気持ちだった……」と自分の心をいぶかる。そうではあるまい。父の死後、アントワーヌは大金を投じて、おやじの家を自分の好きなように改造し、ぜいたくな研究所に造りかえてあったはずなのだから。彼はそこに、かつての自分、すなわち、おやじと同じように「わが力を信じ、高びしゃな態度で、」みずからの城に傲然とおさまりかえっていた戦前の自分を見いだしたのだが、それがまるでいまの自分とは別人のようにしか思えなかった、ということなのであろう。つまり、あのころのブルジョワ青年医師は、第二のオスカール・チボーにほかならなかったのだ。そのようなかつてのアントワーヌと、現在の彼とのあいだには、「戦争と、反抗と、瞑想の四年が横たわっていた」ことを知らねばならない。変わってしまったのは、アントワーヌ自身だったのである。戦争が彼を変えたのであった。いまジゼールに、「戦争がすんだら、この家を売ってしまおうと思っているんだ……いっさいがっさい始末したいんだ。そして、小さな、かんたんな、実用的なアパートを借りることにしよう……」というアントワーヌは、「今後ふたたび、以前のような暮らし方はぜったいしまい」と反省しているのである。助手たちをつかって、その研究成果を金で搾取していたあのころの自分は、莫大な遺産という物質に毒されて、「まちがった道に踏みこんでいた」のだ……「もし戦争がなかったら、おれはあやうくだめになるところだった」……遺産についてのジャックの侮蔑……そうだ、弟のほうが正しかったのだ……こう反省して、アントワーヌは「いまだったら、ふたりはどんなに理解しあえたことだろう」と思うのである。この言葉をこれからさき、彼は幾度もくりかえすことになる。アントワーヌは、戦争の体験をへて、以前の彼とはすっかり変わって還ってきたことがわかる。

　アントワーヌはあるにおいをたよりに、診察室のなかでリュシー・ボネという差出人からの一つの小包を見いだし、そのなかにラシェルの首飾りを発見して感無量となる。

　看護婦の仕事に慣れたジゼールにやさしくいたわられたアントワーヌは、ふと、ジゼールをつれて南仏の療養所にかえれたらどんなにいいのに、……と思う。彼はかつて、ジゼールにやさしい愛をいだいていたのだった。「もしもおれが申しでたら、おれと暮らしてくれるだろうか？」アントワーヌはいちごの皿を持ってきたジゼールの手首を、思わずそっと愛撫する。ジゼールははっと身をふるわせ、まゆげをぴくりと動かす。ジゼールにとってアントワーヌは、永久にやさしい兄というにすぎない。それなればこそ、この大きな家のなかに、ふたりきりで安心していられるのであろう。彼女の心のなかには、いまでもジャックが、ある複雑な屈折したかたちで棲みついているのである。

　ジゼールがジャックと、どんなに悲しい別れかたをしたか、それを私たちはよく知っている。ふたりはあのとき、永遠に決裂したのであった。しかしその後ジゼールは、ジャックを恨みながらも、忘れることはなかった。

ジャックとジェンニーが結ばれ、ジェンニーがジャックの子を生んだことを知ったあとも、忘れるわけにはいかなかったし、アントワーヌやジェンニーのけんめいの調査で、ジャックのアルザス戦線での墜落事故がはっきりしても、「また帰ってくるに違いない」と執拗に待ちつづけてきたのであった。ジゼールがフォンタナン夫人の病院に勤め、そこでジェンニーと親しくしているのも、このためである。つまり、もしジャックが帰ってきたら、ジェンニーと親しいということで、「第三者として、ふたりの生活の中にはいることができるだろう」と考えたためであった。複雑で屈折したというのは、このへんのことである。アントワーヌは、ジゼールのジェンニー批判の言葉を聞きながら、驚きの念でもって、その「ふたりのやもめ」の奇妙な共同生活について、「親しみ、それもたしかにあるだろう。だが、たしかに嫉妬の気持ちもひそんでいる。それにおそらく、ちょっと危険な分量の憎悪の気持ちさえひそんでいるにちがいない！　そして、それらが強力な化合物となって、はげしい愛情らしく見えているんだ！」と、きわめて精確な判断をくだすのであった。

ジゼールの屈折した愛情は、ジェンニーに働きかけるだけでなく、ジャックの遺児ジャン・ポールにも注ぎこまれる。ジャン・ポールが赤んぼうのころ、乳をふくませるジェンニーを見ると、ジゼールはおそろしい絶望と嫉妬の感情におそわれた。そして、ある日ジャン・ポールをあずけられたジゼールは、子供をつれて部屋に閉じこもり、向こうみずな誘惑にそそられるままに、自分の乳房をあてがってしまった。そして、そのときの感触を罪と感じた彼女は、懺悔室でそれを告白し、もう二度とくり返してそれをしなくなった……女性の複雑な心理。だが、このように無意識の衝動といった世界にまで作者が踏み込むのは、ここだけのことではない。『チボー家』全巻が、じつは、精神分析学者の意見を求めたくなるような、人間内面の複雑性を含んでいることを知らねばならない。このように考えてはじめて納得されるような個所が、随所にちりばめられていたのを、私たちは幾度も見てきたはずである。

そのような生活のいとなまれているメーゾン・ラフィットへも来るようにと、ジゼールはアントワーヌを誘う。彼は行く気になるが、そのまえに外交官のリュメルに会わなければならない。ジゼールはひとり、急いでメーゾン・ラフィットの職場に戻ってゆく。

リュメルはずっと外務省勤めをつづけていたために、アントワーヌの依頼をうけて、ジャックの死についての真相を調べてくれたり、ジェンニーがスイスへ行くときにも、通行許可証など、いろいろと取りはからってくれたのであった。（ジェンニーはスイスでこっそりお産をし、あわせて、ジャックの死のなぞについて調査したいと思って行ったのである。そして、ジュネーヴでジャックのかつての同志ヴァンネードに会い、彼にバーゼルにつれて行ってもらったジェンニーは、メネストレルとジャックのアルザス戦線への飛行について知ることができたのである。しかし、それからさきのことがわからない。そこまでのことをジェンニーの手紙で知ったアントワーヌは、リュメルに陸軍省の報告記録書類を調べてもらった。リュメルは、火だるまになって落ちてきた飛行機と焼けた反戦ビラの包みについての報告から、ジャックの死の真相をほぼつかむことができたのであった。）

高級レストラン「マクシム」でのリュメルとの会合は、戦場にある者と、銃後にある者との「ぜったいおり合いのつきっこがない」かけ離れた意識を、アントワーヌに確認させるものとなった。彼はリュメルに憎しみさえをおぼえて、わが家に帰り、その夜奇妙な夢をみる。それは、彼自身の戦前のブルジョワ的意識にたいする自己嫌悪の気持ち、さらには罪悪感といったものをあらわしている夢らしかった。次の朝、アントワーヌはメーゾン・ラフィットを訪れるために駅にゆくが、それまでめったに乗ったことのない三等車の切符を買う。庶民となじ三等車に乗ることに、「何かしら痛快な喜び」を感ずるアントワーヌは、あのラシェルとの別れによって悲しみを知る人間となったあと、戦場体験をへて、いまや庶民的なつつましさを愛する人間へとすっかり生まれ変わっていたのである。

メーゾン・ラフィット！　八年まえ、あの美しい季節が哀歓の小さな花々を咲かせた青春の園。戦争はここにも大きな変化をもたらしていた。チボー家とフォンタナン家の別荘は一つに統合された形となり、そこに、くしくも両家の残された人々が全員集まっていた。しかし、彼らの生活は八年まえとは似てもにつかぬものとなっている。すなわち、チボー家の別荘はフォンタナン夫人経営の傷病兵療養のための病院に改造され、いつもオスカール・チボーの坐っていた椅子には、采配をふるう、夫人がどっかと坐っている。そしてフォンタナン家の別荘には、戦場で片足を切断して帰ってきたダニエル、ジャックの遺児ジャン・ポールを抱え、午後は療養所に手つだいに行くジェンニー、看護婦として働いているジゼールとニコル（ニコルの夫エッケはシャンパーニュ戦線の外科自動車班にいる）が住んでいて、ここは病院勤務員宿舎といった趣を呈している。そればかりでなく、かつてのチボー家の女中クロティルドはフォンタナン家の別荘の女中、アドリエンヌも療養所下働きとなって、この地で働いている。

ジゼールとジェンニーとの内面的に複雑なものをひそめる共同生活についてはすでに一瞥したが、ジェンニーの部屋に、ジェンニーとジゼールのベッドがあり、その二つのベッドのあいだに子供のベッドが置かれ、しかもその部屋に、かつてジュネーヴでパタースンが描いていたあのジャックの肖像画が飾られているのが、子供をはさんでのふたりの女の奇妙な関係をよくあらわしている。

ジャン・ポールはジゼールによくなついていた。ジェンニーはそのことに感謝しながらも、子供を甘やかすジゼールにたいする不満を「ジゼールさんの中にある奴隷の血」という軽蔑の言葉で表現し、考えかたの不一致を「あのかたには、信仰があるんですわ！　信仰に気持ちをまぎらしてもらって、何も考えずにいられるんですわ！」という批判で表現せずにはいられない。だがそうした憎しみに近い感情の底に、もっと別のものがわだかまっていることは、すでにアントワーヌが感じとっていたとおりであろう。しかしジェンニーはいっぽうで、この環境をぬけだしてジゼールとふたりで、ジャン・ポールを育てていこうという考えももっている。最も不可解なのは、ダニエルの性格の変わりようであろう。彼は戦場で砲弾の破片を太ももにうけ、数時間後に野戦病院で片足を切断されてしまった。兵役を免除されてメーゾン・ラフィットにころげこんできた彼は、まるで去勢された男のように、何をするという意欲も示さぬ、奇妙にやさしい怠けものになっていた。ぶくぶくとふとって、ひがないちにちチューインガムを噛み、ジャン・ポールの遊び相手になって、「子供付きの女中がわり」という境遇に満足している。あのさっそうたる女蕩《おんなたら》しの青年画家としてのかつての面影は、もはやどこにもみいだせない。

このようなダニエルの謎めいた変わりかたについて、まわりの人たちはそれぞれ違ったふうに解釈していた。ニコルの解釈は自己中心的なうぬぼれ解釈で、ダニエルが自分への恋ごころを抱きつづけており（『美しい季節』の暗室での場面を思いだそう）、それが見こみのない恋であるためにおきている一種のふてくされだ、というのである。アントワーヌはその意見を聞きながしている。しかし、ニコルの言う、「わたしたちの姿を見ると、ぷいと自分の部屋にあがって行くの」という言葉には、なにか気になるものがありはしないだろうか。「わたしたち」とはジェンニーやジゼールを含めた「女性たち」のことである。そして、あるときニコルの横顔をスケッチしていたダニエルが、欲情と、暗い怒りと、恥ずかしさと、憎悪のこもった目で見ていた、というのは、「やっぱり、まだこのわたしを好きでいるんだ」というニコルの単純な理解ではすまされぬ何かを感じさせる。

ジェンニーの解釈によると、ダニエルの「見栄」がすべての原因だということになる。ダニエルは、なんでも思いどおりになった昔とちがって、傷害者となったいま、かつてのような女性たちへの《成功》はあきらめなければならないのだが、その決心がつかないところに、問題がある……足の不自由などはたいしたことではないのだから、病院の会計ぐらいはできるはずだし、絵を描くこともできるはずだ……というのである。アントワーヌは「こいつはなかなか手きびしい！」と感心してしまう。だがこれは、一理ある意見かもしれない。しかし「あの人は、社会的意識を少しも持っていませんの」とジェンニーが言うとき、アントワーヌは「何から何まで、ジャックに結びつけようとしている」といらいらするのだった。

フォンタナン夫人の解釈は完全に間違っている。男らしい性質のダニエルが、負傷したばかりに、「侵略され、おびやかされた祖国を見ながら、しかも祖国のため、もうなんのお役にも立つことができずに」いるのが悲しいのだ、というのである。アントワーヌは思わず「そういうふうにお考えですか？」と口にだしてしまう。フォンタナン夫人の意見は、相かわらずけっして物事の真底にまで透徹することのない彼女の知性を示すと同時に、いまの彼女のたかぶった愛国主義的意識を、そのまま言い表わしている。

このダニエルの不可解な変化についても、深い謎がいったん謎のままに提出されている、ということがわかる。そしてそれは、またしても、肉体と精神との関係という複合体から発する奥深い謎であるにちがいない、という気がしてくる。しかし今回は、その謎を解く言葉が、やがてダニエル自身の口から聞かれることになるだろう。

フォンタナン夫人の変化にも、驚くべきものがある。ジェンニーの言葉をかりると、この四年というもの、夫人は病院の采配をふり、「取りしまったり、決裁をしたり。することといったら、人に命令したり、人に立てられたり、人を使うことばかり……こうして、ママは、高びしゃに出るということのたのしさをおぼえました」となる。あのやさしいだけのフォンタナン夫人が、「患者たちへのお説教」をぶちまくって、「ドイツをたたきつけてしまうその時まで、戦争をつづけなければならない」と説き、自分とちがった考えの人は「フランス人じゃない」ときめつけているらしいのである。ジェンニーは「ママはたしかに、昔のママでなくなりましたわ！」と慨嘆する。

あのようにプロテスタントの一家を嫌っていたオスカール・チボーの頭文字のついた安楽椅子に、異端者《ユグノー》のフォンタナン夫人がゆったりと坐って、病院経営についての自分の責任について語るのを見ながら、アントワーヌは思う。

《戦争は、まさにこうした種類の、こうした年齢の婦人たちに、いままで考えてもみなかったような一つの幸福をあたえたのだ。すなわち、身をささげ、公のために尽くすという機会。感謝の空気につつまれながら、人のうえに立つという楽しみ……》

そのような母親の仕事にたいするジェンニーの批判はきびしい。母が傷病兵たちのためにしていることは、「看護の仕事」というより、ただ、「もう一度殺しあいに行かせるため、若い人たちをみとってやったり、なおしてやったりするだけの仕事！　もう一度闘牛場へ駆り立ててやるため、闘牛士の馬の裂けたお腹《なか》を縫いあわせるというだけのこと！」だというのである。ジェンニーは、このような危険な環境からジャン・ポールを引き離す必要がある、と考えている。アントワーヌは、フォンタナン夫人の性格の激変以上に、ジェンニーの価値判断や思想発展の変化に驚いてしまう。しかしこれは、アントワーヌがこれまで、あまりジェンニーを知っていなかったからである。開戦前後のジャックとジェンニーを追いつづけてきた私たちには、ジェンニーの変化はそれほど不自然なものとは感じられない。

アントワーヌはジェンニーの変化を、「かなり不自然な、かなり皮相なもの」と見てとり、それを、精神発展期にあるいとけないジャン・ポールのためには、むしろ「ダニエルおじのしめす遊惰な手本、ないし祖母によってしめされる近視眼的愛国主義以上に」さらに危険なものではなかろうか、と思うのである。しかしいっぽう、彼自身のいまの気持ちを考えてみると、それが「フォンタナン夫人の愛国思想から無限に遠く、むしろジェンニーの憤慨に近いもの」であることを知って、みずからおどろいてしまう。「いまだったら、もっと理解してやれるんだろうに！」こう思って、兄は弟を失ったことが、かけがえのないもの、取りかえしのつかないものを失ったことになるのだ、と認めずにはいられない。

ジェンニーは「ママからも、ダニエルからも離れようと思っています」と言う。ジャン・ポールを「ジャックさんがそうあってほしいと思っていたような子に育ててあげよう」と思ってのことである。アントワーヌは「そのときになったら……いっさいぼくが引きうけて……」と申し出ると、ジェンニーは次のように答える。

「うれしいですわ。あなたからなら、必要な場合、よろこんで助けていただきます。でもあたし、何をおいても、自分で自分の生活をしていく女でありたいと思っていますの。ジャン・ポールの母として、独立したひとりの女、自分自身の働きによって、どこまでも自由に物を考え、自分の良いとみとめたところにしたがって行動する権利のある女になりたいと思ってますの……いけません？」

そのジャン・ポールはいこじなほどに気性のはげしい、ジャックの反抗的性格をそのまま受けついだような子供に育っている。死んだ弟へのいとしさを身にしみて感ずるいまのアントワーヌにとって、チボー家の血を継いでくれるこのただひとりの人間の将来は、最も大きな関心事の一つとなってゆくに違いない。「チボー家一流の精力主義というやつだな……ジャン・ポールの血の中を流れているこの力、これははたしていかなる形をとるだろう？」アントワーヌは「自分の独立の一片たりとも人にゆるすまいといった」意志の強さをしめすその幼い子供を、ふかい関心をもって見やるのである……思えば、メーゾン・ラフィットでチボー家の別荘とフォンタナン家の別荘が一つのものに統合されたように、ジャン・ポールの体のなかで、いまや両家の血が一つに統一されたのである。そしてチボー家とフォンタナン家の血を未来につたえる者は、この子をおいてはほかにない。

店村新次

本書は2010年刊行の『チボー家の人々 12』第11刷をもとにオンデマンド印刷・製本で製作されています。

訳者：
山内義雄
(1894～1973)
1950年「チボー家の人々」により芸術院賞受賞
訳書マルタン・デュ・ガール「ジャン・バロワ」
「チボー家のジャック」他多数

解説者：
店村新次（たなむら　しんじ）
(1919～1991)
同志社大学名誉教授，文学博士
主著「ロジェ・マルタン・デュ・ガール研究」

白水uブックス　49

チボー家の人々　12　エピローグ（I）

訳　者 © 山《やま》内《のうち》義《よし》雄《お》
発行者　岩堀雅己
発行所　株式会社 白水社
東京都千代田区神田小川町 3-24
振替　00190-5-33228　〒 101-0052
電話（03）3291-7811（営業部）
（03）3291-7821（編集部）
www.hakusuisha.co.jp

1984年 3月 20日第 1 刷発行
2024年 3月 10日第 17 刷発行
表紙印刷　クリエイティブ弥那
印刷・製本　大日本印刷株式会社
Printed in Japan

ISBN978-4-560-07049-9

乱丁・落丁本は送料小社負担にてお取り替えいたします。

Roger Martin Du Gard: *Les THIBAULT*